A BÍBLIA EM 60 MINUTOS

A BÍBLIA
EM 60 MINUTOS

—

Editado por

PHILIP LAW

Com base no texto da
Nova Versão Transformadora

NVT

mundocristão

CIP-Brasil. Catalogação na publicação
Sindicato Nacional dos Editores de Livros, RJ

B477

A Bíblia em 60 minutos / editado por Philip Law ; [tradução Mundo Cristão]. - 1. ed. - São Paulo : Mundo Cristão, 2019.
112 p.

Tradução de: One hour Bible : from Adam to Apocalypse in sixty minutes

ISBN 978-85-433-0458-8

1. Bíblia - Meditações. I. Law, Philip.

19-57580 CDD: 242.5
CDU: 27-583

Categoria: Bíblia
1ª edição: setembro de 2019

Edição
Daniel Faria
Revisão
Natália Custódio
Produção e diagramação
Felipe Marques
Colaboração
Ana Paz

Publicado no Brasil com todos os direitos reservados por:

Editora Mundo Cristão
Rua Antônio Carlos Tacconi, 69
São Paulo, SP, Brasil
CEP 04810-020
Telefone: (11) 2127-4147
www.mundocristao.com.br

Sumário

Nota aos leitores

A Bíblia Sagrada só existe hoje por causa da dedicação constante e cuidadosa de arqueólogos, bibliotecários, especialistas em línguas antigas, tradutores, escribas, editores e gráficos em todo o mundo. A Bíblia atravessou milênios para tornar-se o maior *best-seller* de todos os tempos; é o alicerce da fé cristã e a palavra de Deus para a humanidade. Hoje, é impossível estimar a importância desta obra como coluna central da civilização.

A Mundo Cristão percebeu a necessidade de uma nova versão que combinasse rigor acadêmico na tradução das línguas originais (hebraico, grego e aramaico) e linguagem fluente e comunicativa para quem já conhece a Bíblia e também para uma nova geração de leitores. Juntamente com os professores Carlos Osvaldo Cardoso Pinto (1950-2014), doutor pelo Dallas Theological Seminary, e Estevan Kirschner, doutor pela London School of Theology, a editora constituiu uma equipe de tradutores e revisores cristãos, especializados nas disciplinas essenciais para a execução do projeto.

O resultado desse esforço, a *Nova Versão Transformadora* (NVT), visa atender às exigências de diversos perfis de leitores: o especialista em exegese bíblica, o pastor que busca um texto confiável para fundamentar seus sermões, o leigo que procura uma palavra de inspiração bíblica que fale diretamente à alma e o jovem que espera compreender o que está lendo. A NVT é própria para leitura individual, devocional e até congregacional, em voz alta.

Introdução do editor

A Bíblia é o livro mais vendido do mundo. Repleta de histórias memoráveis, de poesia inspiradora e de sabedoria atemporal, ela vem influenciando a vida de bilhões de pessoas ao redor do mundo e ao longo dos séculos. No entanto, mesmo aqueles que a leem todos os dias terão de admitir que nem sempre se trata de uma leitura fácil, e são poucos os que conseguem atravessar todas as suas muitas páginas.

Qual é a razão disso? Bem, para começar, a Bíblia é um tanto longa: a maioria das versões contém ao menos 770.000 palavras — aproximadamente 600.000 na primeira seção, conhecida como Antigo Testamento, e 170.000 na segunda, o Novo Testamento. (Esses números se aplicam apenas às Bíblias protestantes; as versões oficiais da Igreja Católica Romana e da Igreja Ortodoxa são ainda maiores.)

Além da extensão de texto, você logo descobrirá, caso a Bíblia seja uma novidade para você, que o conteúdo é complexo demais para uma leitura confortável, do início ao fim. Há enormes listas de nomes, compilações de leis, regulações para a adoração e detalhadas instruções para construção; há histórias, cronologias, poemas, orações, provérbios, parábolas, profecias e visões; há evangelhos, cartas, memórias, reflexões teológicas, discursos, hinos e uma misteriosa forma literária conhecida como "apocalíptica".

Todos esses diferentes escritos foram coletados e editados por uma gama de autores — sacerdotes, profetas, poetas, sábios, apóstolos — ao longo de um período de mais de mil anos. As porções mais antigas dos 39 livros que compõem o Antigo Testamento foram redigidas provavelmente há cerca de três milênios, ao passo que os 27 livros do Novo Testamento foram finalizados por volta do final do primeiro século da era cristã.

Em virtude dessa formidável diversidade, muita gente prefere abordar a Bíblia de maneira gradual, passo a passo, lendo umas poucas passagens a cada vez e dividindo a leitura no decorrer de meses ou anos. Porém, a desvantagem desse método é que podemos acabar perdendo a floresta de vista porque estamos ocupados demais estudando as árvores! Isso resulta em uma visão fragmentada, desarticulada, em que os diferentes personagens, lugares e acontecimentos não parecem se encaixar dentro do panorama mais amplo.

Entra em cena, então, *A Bíblia em 60 minutos*. Qualquer que seja seu nível de familiaridade com a Bíblia, este pequeno livro permitirá que você dê um passo para trás e visualize a amplidão épica de todo o arco narrativo da Bíblia, desde a abertura majestosa do livro de Gênesis até as vívidas palavras que encerram Apocalipse.

Em aproximadamente uma hora (uns minutos a mais ou a menos, dependendo da velocidade da leitura), você viajará pelas estradas e pelos atalhos da grandiosa narrativa bíblica. E, no caminho, deparará com alguns dos ensinos mais poderosos e duradouros da Bíblia, incluindo citações da sabedoria espiritual de Jesus, preservada para nós por meio dos Evangelhos.

O que *A Bíblia em 60 minutos* inclui?

A exemplo da própria Bíblia, *A Bíblia em 60 minutos* abre com o relato dramático da Criação extraído do primeiro capítulo de Gênesis. Prossegue, então, contando sobre Adão e Eva no jardim do Éden, seus dois filhos Caim e Abel, Noé e o dilúvio e a construção da torre de Babel.

Na sequência, leremos sobre os ancestrais dos judeus — Abraão, Isaque e Jacó — e sobre a promessa de Deus de que, por meio deles e de seus descendentes, todo o mundo seria abençoado.

A história de José e seus irmãos vem em seguida, e depois temos a história de Moisés e do êxodo, um momento crucial em que Deus salva seu povo da escravidão no Egito. É nesse ponto da história que Deus adota os israelitas como sua "nação santa" e lhes entrega os Dez Mandamentos e outras leis para guiá-los no caminho.

A história continua com Josué, a batalha de Jericó e a conquista da Terra Prometida, o que leva ao período em que chefes tribais conhecidos como "juízes" lideram o povo de Israel.

Com isso, chegamos à época de Samuel, Saul e Davi. O rei Davi é o primeiro grande líder a exercer firme controle sobre as tribos israelitas e a transformá-las em uma nação unificada tendo Jerusalém como capital. Aqui tomaremos conhecimento dos triunfos de Davi, como sua vitória sobre Golias, e também leremos sobre os pecados e erros que ele cometeu, o que inclui adultério e assassinato.

O capítulo seguinte fala sobre a lendária sabedoria do filho de Davi, o rei Salomão, famoso também por construir o primeiro templo em Jerusalém. A era de ouro de Davi e Salomão se encerra quando uma rebelião divide a nação, criando dois reinos menores: Israel, no norte, e Judá, no sul.

Segue-se, então, uma série de reis bons e maus, até que o foco se volta para Acabe, o rei de Israel, e sua consorte, a ardilosa rainha Jezabel. Juntos eles conspiram para corromper a nação e levar o povo à adoração de deuses estrangeiros.

É nesse período que Deus começa a enviar profetas para advertir o povo do desastre que cairá sobre eles caso persistam a adoração a ídolos e a desobediência às leis divinas.

Mas o povo, ou pelo menos a maioria dele, recusa-se a escutar. Assim, a catástrofe os acomete na forma de invasões lideradas pelos exércitos da Assíria e da Babilônia, resultando na total destruição do reino de Israel e no exílio forçado da maior parte do povo de Judá.

A esperança, contudo, se reacende quando esses impérios são substituídos pelo reino da Pérsia, um império mais esclarecido e tolerante que permite que judeus cativos como Daniel ascendam a cargos de poder. Finalmente, os judeus são autorizados a retornar à terra natal para iniciarem a tarefa de reconstruir o templo e a nação.

E é nesse momento da história que nós nos despedimos do antigo Israel e de Judá, pois o Antigo Testamento chegou ao fim.

Saltamos, então, alguns séculos à frente até o tempo de Jesus, ou seja, o primeiro século da era cristã. A essa altura, nota-se que o ritmo diminui. Quatro capítulos em *A Bíblia em 60 minutos* são dedicados à vida e aos ensinamentos de Jesus, o que corresponde a cerca de 20% de todo o livro (algo em torno de 12 a 15 minutos de leitura).

A razão disso é que, para os cristãos, esse é o ponto central de toda a história bíblica, o momento transformador em que Deus revela sua plena identidade na vida de Jesus de Nazaré.

A história do impacto inicial de Jesus e sua mensagem — o evangelho, ou "boas-novas" — nos é relatada pelo livro do Novo Testamento chamado Atos dos apóstolos. Aqui leremos sobre as origens da fé cristã mundial, começando no Dia de

Pentecostes e incluindo alguns dos grandes discursos dos primeiros líderes da Igreja: o apóstolo Pedro em Jerusalém e o apóstolo Paulo em Atenas.

Por fim, nossa jornada chega a um deslumbrante final com alguns breves extratos das visões de João no livro da Revelação — ou, como nós o conhecemos, o Apocalipse.

O que *A Bíblia em 60 minutos* não inclui?

Para que a narrativa flua o mais suave possível, e para que o tempo de leitura não ultrapasse uma hora, tivemos de deixar de fora quantidades imensas de texto. Poderíamos ter incluído outras tantas passagens, como a bela poesia do livro de Jó, dos Salmos e do Cântico dos cânticos, para não mencionar a sabedoria de Provérbios e Eclesiastes, os oráculos de Isaías, Jeremias e Ezequiel, e as cartas inspiradoras que Paulo escreveu aos primeiros cristãos.

Devemos rapidamente acrescentar que não consideramos menos importante nenhuma das partes que foram deixadas de fora. Muitos desses textos contêm ensinamentos vitais para a fé cristã, especialmente as cartas que constituem grande parte do Novo Testamento.

Dito isso, por certo haverá leitores que se perguntarão por que determinados trechos foram incluídos em lugar de outros, sobretudo no que diz respeito aos capítulos relacionados a Jesus. Tais capítulos foram os mais desafiadores; por isso, na escolha do que incluir decidimos considerar passagens nos Evangelhos que, na visão da maioria dos especialistas bíblicos, exibem elementos que representam Jesus de modo especial.

Dentre esses elementos estão a ênfase de Jesus sobre a necessidade do amor como norteamento de nossos relacionamentos; sua preocupação com os pobres, os enfermos e os incapacitados; sua disposição em dividir a mesa com os marginalizados; sua postura serena com relação às leis judaicas de alimentação; e sua genialidade no ensino de parábolas.

O que torna *A Bíblia em 60 minutos* diferente?

O livro que você tem em mãos não é outro mero resumo ou uma simples releitura da Bíblia. Isso já foi feito muitas vezes, tanto para crianças como para adultos. O que torna *A Bíblia em 60 minutos* diferente é que se trata de uma compilação inteiramente extraída do próprio texto bíblico, usando as palavras da *Nova Versão Tranformadora* (veja "Informações adicionais", p. 109).

Além da seleção e organização dos textos, o processo de compilação deste livro consistiu também numa radical condensação de dezenas de passagens com o intuito de encaixar o máximo de conteúdo possível dentro do espaço disponível. Para dar um exemplo, o primeiro capítulo da Bíblia, Gênesis 1, foi reduzido de 685 palavras para 119, uma redução de quase 83%.

É verdade que nesse processo se perdeu parte da profundidade e da textura do material bíblico. O objetivo deste livro, porém, é oferecer os aspectos essenciais e apresentá-los de modo que nos ajude a acompanhar o fio da narrativa geral da Bíblia em meio às suas agitações e tremulações ao longo dos séculos, à medida que uma geração dá lugar a outra.

Haveria muito mais a dizer, mas encerraremos dizendo que nossa expectativa é que você aprecie *A Bíblia em 60 minutos* e encontre histórias que sejam tanto divertidas quanto iluminadoras. Também esperamos que se sinta motivado a ler mais sobre essas histórias numa Bíblia completa. Pois, a exemplo de todas as grandes histórias, os textos bíblicos não servem apenas para entretenimento e informação. Como muitas pessoas já descobriram, eles podem transformar sua vida.

PHILIP LAW
Diretor de publicações da Society for
Promoting Christian Knowledge (SPCK)

PARTE 1

CENAS DO ANTIGO TESTAMENTO

Prólogo: No início

No princípio, Deus criou os céus e a terra. A terra era sem forma e vazia, a escuridão cobria as águas profundas, e o Espírito de Deus se movia sobre a superfície das águas.

Deus disse: "Haja luz", e houve luz.

Então Deus disse: "Juntem-se as águas, para que apareça uma parte seca. Produza a terra vegetação. Encham-se as águas de seres vivos, e voem as aves no céu acima da terra. Produza a terra grande variedade de animais". E assim aconteceu.

Então Deus disse: "Façamos o ser humano à nossa imagem". Assim, Deus criou os seres humanos; homem e mulher os criou. Então Deus olhou para tudo que havia feito e viu que era muito bom.

E descansou.

1
Do Éden a Babel

Quando Deus criou a terra, formou o homem do pó da terra. Deus plantou um jardim no Éden. No meio do jardim, colocou a árvore da vida e a árvore do conhecimento do bem e do mal. Da terra do Éden nascia um rio que regava o jardim.

Deus colocou o homem no jardim, mas lhe ordenou: "Coma à vontade dos frutos de todas as árvores, exceto da árvore do conhecimento do bem e do mal. Se você comer desse fruto, com certeza morrerá".

Então Deus fez o homem cair num sono profundo. Enquanto o homem dormia, tirou dele uma das costelas. Dessa costela Deus fez uma mulher e a trouxe ao homem. O homem e a mulher estavam nus, mas não sentiam vergonha.

A serpente era o mais astuto dos animais selvagens. Certa vez, ela perguntou à mulher: "Deus realmente disse que vocês não devem comer do fruto de nenhuma das árvores do jardim?".

A mulher respondeu: "É só do fruto da árvore que está no meio do jardim que não podemos comer. Deus disse: 'Não comam e nem sequer toquem no fruto daquela árvore; se o fizerem, morrerão'".

"É claro que vocês não morrerão!", a serpente respondeu à mulher. "No momento em que comerem do fruto, seus olhos se abrirão e, como Deus, conhecerão o bem e o mal."

A mulher viu que a árvore era linda e que seu fruto parecia delicioso, e desejou a sabedoria que ele lhe daria. Assim, tomou do fruto e o comeu. Depois, deu ao marido, e ele também comeu. Naquele momento, seus olhos se abriram, e eles perceberam que estavam nus. Por isso, costuraram folhas de figueira umas às outras para se cobrirem.

Deus chamou o homem: "Você comeu do fruto da árvore que eu lhe ordenei que não comesse?".

O homem respondeu: "Foi a mulher que me deste! Ela me ofereceu do fruto, e eu comi".

Então Deus perguntou à mulher: "O que foi que você fez?".

"A serpente me enganou", respondeu a mulher.

Então Deus disse:

"Maldita é a terra por sua causa;
   por toda a vida, terá muito trabalho
   para tirar da terra seu sustento.
Pois você foi feito do pó,
   e ao pó voltará".

Deus os expulsou do Éden e colocou a leste do jardim uma espada flamejante, a fim de guardar o caminho até a árvore da vida.

Adão teve relações com Eva, sua mulher. Ela deu à luz Caim e Abel. Abel se tornou pastor de ovelhas, e Caim cultivava o solo.

Caim apresentou parte de sua produção como oferta ao SENHOR. Abel ofertou as melhores porções dos cordeiros dentre as primeiras crias de seu rebanho. O SENHOR aceitou Abel e sua oferta, mas não aceitou Caim e sua oferta. E Caim se enfureceu.

Ele sugeriu a seu irmão: "Vamos ao campo". E, enquanto estavam lá, Caim atacou Abel e o matou. Então o SENHOR perguntou a Caim: "Onde está seu irmão?".

"Não sei", respondeu Caim. "Por acaso sou responsável por meu irmão?"

Então Deus disse: "O sangue de seu irmão clama a mim da terra! De agora em diante, você não terá um lar e andará sem rumo pela terra".

Caim saiu da presença do SENHOR e se estabeleceu na terra de Node, a leste do Éden.

Os seres humanos começaram a se multiplicar na terra. O SENHOR observou quanto havia aumentado a perversidade dos seres humanos e se arrependeu de tê-los criado. Noé, porém, encontrou favor diante do SENHOR. Deus disse a Noé:

> "Construa uma grande embarcação! Em breve, cobrirei a terra com um dilúvio que destruirá todos os seres vivos. Portanto, entre na arca com sua mulher, seus filhos e as mulheres deles. Leve na arca com você um casal de cada espécie de animal, para mantê-los com vida".

Noé fez tudo exatamente como Deus lhe havia ordenado.

Vieram as águas do dilúvio e cobriram a terra. A arca flutuava em segurança em sua superfície. As águas cobriram até as montanhas mais altas. Tudo que vivia em terra firme morreu.

Então Deus se lembrou de Noé. Fez soprar um vento sobre a terra, e as águas do dilúvio começaram a baixar. Dois meses se passaram e, por fim, a terra estava completamente seca.

Então Deus disse a Noé:

"Saiam da arca. Solte todos os animais, para que se multipliquem na terra. Coloquei o arco-íris nas nuvens, e quando enviar nuvens sobre a terra, eu me lembrarei da minha aliança com vocês e com todos os seres vivos. Nunca mais as águas de um dilúvio destruirão toda a vida".

Houve um tempo em que todos os habitantes do mundo falavam a mesma língua. Começaram a dizer: "Vamos construir uma cidade com uma torre que chegue até o céu". O SENHOR, porém, desceu para ver a cidade.

"Vejam!", disse o SENHOR. "Todos se uniram. Venham, vamos descer e confundi-los com línguas diferentes."

Assim, o SENHOR os espalhou pelo mundo inteiro, e eles pararam de construir a cidade.

Ela recebeu o nome de Babel.

2

Abraão, Isaque e Jacó

Este é o relato de Abrão, de Ur dos caldeus.

O Senhor tinha dito a Abrão: "Deixe sua terra natal e vá à terra que eu lhe mostrarei". Então Abrão tomou sua mulher e todos os seus bens e seguiu para a terra de Canaã.

Deus lhe disse:

> "Esta é a minha aliança com você. Você já não será chamado Abrão, mas sim Abraão, pois será o pai de muitas nações. Darei a você e a seus descendentes toda a terra de Canaã, e eu serei o seu Deus".

Certo dia, Abraão estava sentado à entrada de sua tenda. Olhando para fora, viu três homens em pé. Quando os viu, um deles disse: "Por esta época, no ano que vem, sua mulher, Sara, terá um filho".

Sara tinha passado, havia muito tempo, da idade de ter filhos. Por isso, riu consigo.

Então o Senhor disse a Abraão: "Por que Sara riu? Existe alguma coisa difícil demais para o Senhor?".

O Senhor cumpriu o que lhe tinha prometido. Sara engravidou e deu à luz um filho. Abraão deu o nome Isaque ao filho que Sara lhe deu.

Algum tempo depois, Deus pôs Abraão à prova. "Abraão!", Deus chamou. "Tome seu filho Isaque, vá à terra de Moriá e, lá, ofereça-o como holocausto."

Na manhã seguinte, Abraão se levantou cedo. Cortou lenha para o fogo do holocausto e pôs a lenha nos ombros de Isaque. Enquanto os dois caminhavam juntos, Isaque se virou para Abraão e disse: "Pai?".

"Sim, meu filho", respondeu Abraão.

"Temos fogo e lenha", disse Isaque. "Mas onde está o cordeiro para o holocausto?"

"Deus providenciará o cordeiro, meu filho", respondeu Abraão.

E continuaram a caminhar juntos.

Quando chegaram ao lugar que Deus havia indicado, Abraão construiu um altar e arrumou a lenha sobre ele. Em seguida, amarrou seu filho Isaque e o colocou no altar. Então, pegou a faca. Nesse momento, o anjo do SENHOR o chamou do céu:

> "Abraão! Não toque no rapaz. Agora sei que você teme a Deus de fato. Não me negou nem mesmo seu filho, seu único filho!".

Abraão estava bem velho, e o SENHOR o havia abençoado em tudo. Certo dia, Abraão disse a seu servo mais antigo: "Vá à minha terra natal procurar uma mulher para Isaque".

Então o servo pegou dez camelos de Abraão, carregou-os com presentes valiosos e viajou para a cidade onde Naor, irmão de Abraão, havia se estabelecido. Ao entardecer, ele fez os camelos se ajoelharem perto de um poço nos arredores da cidade.

O servo viu aproximar-se uma moça chamada Rebeca, que trazia um cântaro no ombro. "De quem você é filha?", perguntou.

"Sou filha de Betuel", respondeu ela.

Rebeca tinha um irmão chamado Labão, que foi prontamente à fonte para conhecer o homem. Labão lhe disse: "Venha e fique conosco, abençoado do SENHOR!".

Então o homem foi com ele para casa. "Sou servo de Abraão", explicou. "Meu senhor me fez jurar, dizendo: 'Vá à casa de meu pai procurar uma mulher para meu filho'."

Labão e Betuel responderam: "É evidente que o SENHOR o trouxe até aqui. Aqui está Rebeca; leve-a com você. Que ela seja mulher do filho do seu senhor".

Então Rebeca e suas servas montaram nos camelos e seguiram o homem. Quando Rebeca viu Isaque, desceu do camelo no mesmo instante. Isaque a levou para a tenda, e Rebeca se tornou sua mulher.

Abraão deu tudo que possuía a seu filho Isaque. Deu o último suspiro e, ao morrer, reuniu-se a seus antepassados.

Isaque orou ao SENHOR em favor de sua mulher, pois ela não podia ter filhos. O SENHOR ouviu a oração de Isaque, e Rebeca ficou grávida de gêmeos. O primeiro chamaram de Esaú; o outro, de Jacó.

Os meninos cresceram. Esaú se tornou um caçador habilidoso. Isaque amava Esaú porque gostava de comer a carne de caça que ele trazia, mas Rebeca amava Jacó.

Certo dia, quando Isaque era velho e estava ficando cego, chamou Esaú e disse: "Vá ao campo caçar um animal para mim. Prepare meu prato favorito e então pronunciarei a bênção que pertence a você antes de eu morrer".

Rebeca, porém, ouviu o que Isaque tinha dito. Ela disse a Jacó: "Traga-me dois dos melhores cabritos". Jacó foi e trouxe os cabritos para sua mãe. Rebeca os usou para preparar uma refeição saborosa, do jeito que Isaque gostava.

Jacó levou a comida para o pai e disse: "Meu pai? Sou Esaú, seu filho mais velho".

Então Isaque disse: "Chegue mais perto, meu filho, e traga-me a carne da caça". Isaque comeu e abençoou o filho.

Logo depois de Jacó ter saído, Esaú voltou da caçada. Preparou uma refeição saborosa e levou-a para seu pai. Isaque lhe perguntou: "Quem é você?".

Ele respondeu: "Sou Esaú, seu filho mais velho".

Isaque começou a tremer e disse: "Então quem me serviu a carne de caça? Acabei de comê-la e abençoei quem a trouxe!".

Quando Esaú ouviu as palavras do pai, soltou um forte grito amargurado. Começou a tramar: "Em breve meu pai morrerá. Então, matarei meu irmão Jacó".

Quando Rebeca soube das intenções de Esaú, mandou chamar Jacó e lhe disse: "Apronte-se e fuja para a casa de meu irmão Labão".

Jacó partiu. Quando o sol se pôs, chegou a um bom local para acampar e ali passou a noite. Enquanto dormia, sonhou com uma escada que ia da terra ao céu e viu os anjos de Deus, que subiam e desciam pela escada. No topo da escada estava o SENHOR, que lhe disse:

> "Eu sou o Deus de Abraão e Isaque. A terra na qual você está deitado lhe pertence. Eu a darei a você e a seus

descendentes. E todas as famílias da terra serão abençoadas por seu intermédio e de sua descendência".

Jacó seguiu viagem e, por fim, chegou à terra do leste. Viu um poço ao longe e, junto ao poço, no campo, três rebanhos de ovelhas, à espera de que lhes dessem água. Jacó se aproximou dos pastores e perguntou: "Conhecem um homem chamado Labão?".

"Sim, conhecemos", responderam. "Olhe, ali vem Raquel, filha dele, com o rebanho."

Então Jacó explicou para Raquel que era seu primo. Raquel foi correndo contar a seu pai. Assim que Labão soube que seu sobrinho Jacó havia chegado, correu ao seu encontro e o levou para casa.

Quando Jacó estava na casa de Labão havia cerca de um mês, Labão lhe disse: "Você não deve trabalhar de graça para mim só porque somos parentes. Diga-me qual deve ser o seu salário".

Labão tinha duas filhas. A mais velha se chamava Lia, e a mais nova, Raquel. Visto que Jacó estava apaixonado por Raquel, disse a Labão: "Trabalharei para o senhor por sete anos se me der Raquel para ser minha esposa".

Então Jacó trabalhou sete anos por Raquel. Chegada a hora, Labão convidou toda a vizinhança e preparou uma grande festa de casamento. À noite, porém, quando estava escuro, Labão tomou Lia e a entregou a Jacó, e Jacó se deitou com ela.

Na manhã seguinte, quando Jacó acordou, viu que era Lia. Então Jacó perguntou a Labão: "O que o senhor fez comigo? Por que me enganou?".

Labão respondeu: "Aqui não é costume casar a filha mais nova antes da mais velha. Espere, contudo, até terminar a semana de núpcias, e eu também lhe entregarei Raquel, desde que você prometa trabalhar mais sete anos para mim".

Jacó concordou. Uma semana depois de Jacó ter se casado com Lia, Labão lhe entregou Raquel, a quem ele amava. Ela engravidou e deu à luz um filho, e o chamou de José.

Logo depois que Raquel deu à luz José, Jacó montou suas mulheres e seus filhos em camelos e partiu para a terra de Canaã.

Durante a noite, veio um homem, que lutou com ele até o amanhecer. Quando o homem viu que não poderia vencer, disse: "Deixe-me ir, pois está amanhecendo!".

Jacó, porém, respondeu: "Não o deixarei ir enquanto não me abençoar".

"Qual é seu nome?", perguntou o homem.

"Jacó", respondeu ele.

O homem disse: "Seu nome não será mais Jacó. De agora em diante, você se chamará Israel, pois lutou com Deus e com os homens e venceu".

3
José no Egito

Jacó passou a morar na terra de Canaã. Jacó amava José mais que a qualquer outro de seus filhos, pois José havia nascido quando Jacó era idoso. Por isso, certo dia Jacó encomendou um presente especial para José: uma linda túnica. Os irmãos de José, por sua vez, o odiavam e planejaram uma forma de matá-lo.

Judá, porém, disse a seus irmãos: "O que ganharemos se matarmos nosso irmão?". Então, quando negociantes se aproximaram, os irmãos de José o venderam para eles por vinte peças de prata. Os negociantes levaram José para o Egito, onde o venderam a Potifar, oficial do faraó.

José era um rapaz muito bonito, e logo a esposa de Potifar começou a olhar para ele com desejo. Certo dia, ela agarrou-o pelo manto e exigiu: "Deite-se comigo!". José se desvencilhou e fugiu da casa, mas o manto ficou na mão da mulher.

Ela guardou o manto até o marido voltar. Então, contou-lhe: "O escravo hebreu que você trouxe para nossa casa tentou aproveitar-se de mim. Mas, quando eu gritei, ele saiu correndo e largou seu manto comigo!".

Ao ouvir a mulher, Potifar se enfureceu. Pegou José e o lançou na prisão.

Algum tempo depois, o chefe dos copeiros e o chefe dos padeiros ofenderam seu senhor, o faraó do Egito, que os mandou para a prisão onde José estava. Enquanto estavam presos, o copeiro e o padeiro tiveram, cada um, um sonho. Quando José os viu no dia seguinte, o chefe dos copeiros relatou seu sonho a José:

> "Vi na minha frente uma videira. Havia três ramos que produziram cachos de uvas. Tomei um dos cachos de uva, espremi o suco na taça e a coloquei na mão do faraó".

José disse:

> "Os três ramos representam três dias. Dentro de três dias, o faraó o elevará de volta ao seu cargo de chefe dos copeiros. Quando a situação estiver bem para você, peço que se lembre de mim. Fale de mim ao faraó, para que ele me tire deste lugar".

Três dias depois, era o aniversário do faraó, e ele elevou o chefe dos copeiros de volta a seu cargo. O chefe dos copeiros, porém, se esqueceu completamente de José.

Dois anos se passaram. Perturbado com seus sonhos, o faraó chamou todos os magos e os sábios do Egito. Contou-lhes os sonhos, mas ninguém conseguiu interpretá-los. Por fim, o chefe dos copeiros se pronunciou: "Algum tempo atrás, estrava conosco na prisão um rapaz hebreu. Contamos a ele nossos sonhos, e ele explicou o que cada um significava".

José foi trazido depressa da prisão. Disse o faraó:

> "Tive um sonho esta noite. Eu estava em pé na margem do rio Nilo e vi sete vacas gordas e saudáveis saírem do rio e começarem a pastar no meio dos juncos. Em

> seguida, vi saírem do rio sete vacas feias e magras que pareciam doentes. Essas vacas feias e magras comeram as sete vacas gordas. Contudo, não parecia que haviam acabado de comer as outras vacas, pois continuavam tão magras e feias quanto antes".

José respondeu:

> "Deus está dizendo ao faraó de antemão o que ele vai fazer. As sete vacas saudáveis representam sete anos de prosperidade. As sete vacas feias representam sete anos de fome. Os próximos sete anos serão um período de grande prosperidade. Depois, haverá sete anos de fome.
>
> "Portanto, o faraó deve encontrar um homem sábio e encarregá-lo de administrar o Egito. O faraó também deve nomear supervisores sobre a terra. Encarregue-os de juntar o alimento produzido nos anos bons e levá-lo para os armazéns do faraó. Desse modo, quando os sete anos de fome vierem sobre a terra do Egito, haverá comida suficiente".

O faraó perguntou aos oficiais: "Será que encontraremos alguém como este homem? Sem dúvida, há nele o espírito de Deus!". Assim, José recebeu autoridade sobre todo o Egito.

Por fim, começaram os anos de fome. Jacó soube que ainda havia cereal no Egito e enviou seus filhos para comprarem alimento. Da segunda vez que foram, José revelou sua identidade a seus irmãos.

"Sou eu, José", disse, "o irmão que você venderam como escravo." Então José beijou cada um de seus irmãos e chorou com eles.

Eles saíram do Egito e voltaram a seu pai. "José ainda está vivo!", disseram. Assim, Jacó e toda a sua família foram para o Egito. Jacó viveu dezessete anos no Egito, deu o último suspiro e, ao morrer, reuniu-se a seus antepassados.

Depois de sepultar Jacó, os irmãos de José ficaram temerosos e disseram: "Agora José mostrará sua ira e se vingará de todo o mal que lhe fizemos".

Por isso, enviaram a seguinte mensagem a José: "Nós, servos do Deus de seu pai, suplicamos que você perdoe nosso pecado".

José, porém, respondeu: "Por acaso sou Deus para castigá-los? Vocês pretendiam me fazer o mal, mas Deus planejou tudo para o bem".

4

Moisés e o êxodo

Com o tempo, José e seus irmãos morreram, e toda aquela geração chegou ao fim. Mas seus descendentes, os israelitas, multiplicaram-se tanto que se fortaleceram e encheram a terra.

Então subiu ao trono do Egito um novo rei, que nada sabia a respeito de José. Esse rei explorou e oprimiu os israelitas, forçando os pais a abandonarem seus recém-nascidos.

Por essa época, nasceu Moisés. Seus pais cuidaram dele em casa por três meses. Quando tiveram de abandoná-lo, a filha do faraó o adotou e o criou como seus próprio filho.

Certo dia, estando Moisés com quarenta anos, resolveu visitar seus parentes, o povo de Israel. Ao ver um egípcio maltratando um israelita, defendeu o israelita e o vingou, matando o egípcio.

Quarenta anos depois, no deserto próximo ao monte Sinai, um anjo apareceu a Moisés nas chamas de um arbusto que queimava. Aproximando-se para observar melhor, ouviu a voz do Senhor, que disse:

> "Eu sou o Deus de Abraão, de Isaque e de Jacó. Tenho visto a aflição do meu povo no Egito. Agora vá, pois eu o envio ao faraó. Você deve tirar meu povo, Israel, do Egito".

Moisés disse: "Se eu for aos israelitas e lhes disser: 'O Deus de seus antepassados me enviou a vocês', eles perguntarão: 'Qual é o nome dele?'. O que devo dizer?".

Deus respondeu a Moisés: "Eu Sou o que Sou. Esse é meu nome para sempre".

Moisés, porém, disse ao Senhor: "Ó Senhor, não tenho facilidade para falar. Por favor, Senhor! Envia qualquer outra pessoa!".

Então o Senhor se irou com Moisés e lhe disse: "E quanto a seu irmão Arão? Sei que ele fala bem. Estarei com vocês dois quando falarem e os instruirei a respeito do que devem fazer".

Depois disso, Moisés e Arão foram ver o faraó e declararam: "Assim diz o Senhor, o Deus de Israel: 'Deixe meu povo sair'".

"Quem é o Senhor?", retrucou o faraó. "Por que devo dar ouvidos a ele?"

Então o Senhor disse a Moisés: "Agora você verá o que vou fazer ao faraó. Diga-lhe que assim diz o Senhor: 'Baterei nas águas do Nilo'". Moisés e Arão fizeram conforme o Senhor ordenou. O rio inteiro se transformou em sangue. O faraó, porém, voltou para seu palácio.

Então o Senhor disse a Moisés: "Volte ao faraó e anuncie: 'Assim diz o Senhor: Deixe meu povo sair. Se você se recusar, enviarei uma praga de rãs; pó se transformará em enxames de piolhos; enviarei enxames de moscas'".

O faraó, porém, se recusava a deixar o povo sair.

O Senhor ordenou a Moisés: "Volte ao faraó e diga-lhe: 'A mão do Senhor ferirá com uma praga mortal todos os seus animais'".

Ainda assim, o faraó continuou se recusando a deixar o povo sair.

O Senhor disse: "Peguem um punhado de cinzas. Moisés deve lançá-las no ar, diante dos olhos do faraó".

Moisés lançou as cinzas no ar, e surgiram feridas tanto nas pessoas como nos animais.

Então o SENHOR mandou trovões e granizo, além de raios que caíam sobre a terra. O SENHOR fez soprar um vento sobre a terra e, quando amanheceu, o vento havia trazido gafanhotos, que devoraram todas as plantações.

Moisés estendeu a mão em direção ao céu, e uma escuridão profunda cobriu toda a terra do Egito por três dias.

O faraó, porém, se recusou a deixá-los sair.

Então o SENHOR disse a Moisés: "Atingirei o faraó e a terra do Egito com mais uma praga. Depois disso, o faraó os deixará sair. Diga a todos os homens e mulheres israelitas:

> "'Cada família escolherá um cordeiro ou um cabrito para fazer um sacrifício. Em seguida, tomarão um pouco do sangue e o passarão nos batentes laterais e no alto das portas das casas onde comerem o animal. Essa é a Páscoa do SENHOR. Nessa noite, passarei pela terra e matarei todos os filhos mais velhos na terra do Egito.
>
> "'Executarei juízo sobre todos os deuses do Egito, pois eu sou o SENHOR. Mas o sangue nos batentes das portas servirá de sinal. Quando eu vir o sangue, passarei por sobre aquela casa. Este será um dia a ser recordado. Todo ano, de geração em geração, vocês o celebrarão como festa especial para o SENHOR'".

Assim, o povo de Israel fez conforme o SENHOR havia ordenado. À meia-noite, o SENHOR feriu mortalmente todos os filhos mais velhos da terra do Egito, e ouviu-se um grande lamento em toda a terra.

O faraó mandou chamar Moisés e Arão. "Saiam daqui!",

ordenou ele. "Deixem meu povo e levem os demais israelitas com vocês."

Naquela noite, os israelitas partiram. Havia cerca de seiscentos mil homens, além das mulheres e crianças.

O povo de Israel tinha vivido 430 anos no Egito.

5
Israel no deserto

Quando, por fim, o faraó deixou o povo sair, Deus fez o povo dar a volta pelo deserto, rumo ao mar Vermelho. O SENHOR disse a Moisés: "Ordene aos israelitas que acampem à beira do mar".

Quando o faraó soube que o povo de Israel havia fugido, ele e seus oficiais mudaram de ideia. Convocou suas tropas e levou consigo os melhores carros de guerra, além das demais carruagens de batalha do Egito. Os egípcios perseguiram os israelitas e, quando o faraó se aproximava, o SENHOR disse a Moisés: "Divida as águas para que os israelitas atravessem pelo meio do mar, em terra seca".

Então Moisés estendeu a mão sobre o mar, e o povo de Israel atravessou pelo meio, caminhando em terra seca, com uma parede de água de cada lado.

Os egípcios perseguiram o povo. Moisés, porém, estendeu a mão sobre o mar, e as águas voltaram e cobriram todo o exército do faraó. Nenhum dos egípcios sobreviveu.

Dois meses depois de saírem do Egito, os israelitas chegaram ao Sinai e acamparam ao pé do monte. Então Moisés subiu ao monte para apresentar-se diante de Deus. Lá de cima, o SENHOR o chamou e disse:

> "Transmita esta mensagem aos descendentes de Israel: 'Vocês viram o que fiz aos egípcios. Sabem como

carreguei vocês sobre asas de águias e os trouxe para mim. Agora, se me obedecerem e cumprirem minha aliança, serão minha nação santa'".

Então o SENHOR disse a Moisés: "Desça e consagre o povo, hoje e amanhã. Providencie que eles estejam prontos no terceiro dia".

Na manhã do terceiro dia, houve estrondo de trovões e clarão de raios, e uma nuvem densa envolveu o monte. Moisés conduziu o povo para fora do acampamento, ao encontro de Deus, e todos pararam ao pé do monte. O monte Sinai estava coberto de fumaça, pois o SENHOR havia descido em forma de fogo. Nuvens de fumaça subiam ao céu, e todo o monte tremia violentamente.

Então o SENHOR deu ao povo todas estas palavras:

"Eu sou o SENHOR, seu Deus, que o libertou da terra do Egito, onde você era escravo.
"Não tenha outros deuses além de mim.
"Não faça para si espécie alguma de ídolo.
"Não use o nome do SENHOR, seu Deus, de forma indevida.
"Lembre-se de guardar o sábado, fazendo dele um dia santo.
"Honre seu pai e sua mãe.
"Não mate.
"Não cometa adultério.
"Não roube.
"Não dê falso testemunho contra o seu próximo.
"Não cobice qualquer coisa que pertença ao seu próximo".

Logo cedo na manhã seguinte, Moisés levantou-se e construiu um altar ao pé do monte. Também ergueu doze colunas, uma para cada tribo de Israel.

Então o SENHOR disse a Moisés: "Eu lhe darei tábuas de pedra nas quais gravei a lei e os mandamentos para ensinar ao povo". Moisés e seu auxiliar, Josué, partiram e subiram ao monte de Deus. Moisés permaneceu ali quarenta dias e quarenta noites.

Quando o povo viu que Moisés demorava a descer do monte, reuniu-se ao redor de Arão e disse: "Tome uma providência! Faça para nós deuses que nos guiem. Não sabemos o que aconteceu com esse Moisés".

Todos tiraram as argolas de ouro e as levaram a Arão. Ele recebeu o ouro, derreteu-o e trabalhou nele, dando-lhe a forma de um bezerro. Quando o povo viu o bezerro, começou a exclamar: "Ó Israel, estes são os seus deuses que o tiraram da terra do Egito!".

Então Moisés desceu o monte. Trazia nas mãos as duas tábuas da aliança. Quando Josué ouviu o alvoroço do povo que gritava lá embaixo, disse a Moisés: "Parece que há guerra no acampamento!".

Quando se aproximaram do acampamento, Moisés viu o bezerro e as danças e ficou furioso. Jogou as tábuas de pedra no chão e as despedaçou ao pé do monte. Tomou o bezerro que haviam feito e o queimou. Moeu-o até virar pó, jogou-o na água e obrigou os israelitas a bebê-la.

Então o SENHOR castigou severamente o povo, por causa do que fizeram com o bezerro que Arão lhes tinha construído.

Quarenta anos depois da saída do Egito, Moisés se dirigiu aos israelitas:

"Ouça, ó Israel! O SENHOR, nosso Deus, o SENHOR é único! Ame o SENHOR, seu Deus, de todo o seu coração, de toda a sua alma e de toda a sua força. Guarde sempre no coração as palavras que hoje eu lhe dou. Repita-as com frequência a seus filhos.

"Nomeiem juízes de cada uma de suas tribos em todas as cidades que o SENHOR, seu Deus, lhes dá. Eles julgarão o povo com justiça. Que a justiça verdadeira prevaleça sempre, para que vocês vivam e tomem posse da terra que o SENHOR, seu Deus, lhes dá".

Então Moisés subiu das campinas de Moabe ao monte Nebo. Ali o SENHOR lhe mostrou toda a terra; a terra de Efraim; a terra de Judá, que se estende até o mar Mediterrâneo.

O SENHOR disse a Moisés: "Esta é a terra que prometi sob juramento a Abraão, Isaque e Jacó. Sim, permiti que você a visse com seus próprios olhos, mas você não atravessará o rio para entrar nela".

Assim, Moisés, servo do SENHOR, morreu ali. Nunca houve em Israel outro profeta como Moisés, a quem o SENHOR conhecia face a face.

6

A Terra Prometida

Depois que Moisés morreu, o Senhor disse a Josué: "Chegou a hora de você conduzir todo este povo, os israelitas, para entrar na terra que eu lhes dou".

Então Josué enviou secretamente dois espiões, com a seguinte instrução: "Façam o reconhecimento da terra, especialmente dos arredores de Jericó".

Os dois homens partiram e chegaram à casa de uma prostituta chamada Raabe, e ali passaram a noite. A notícia chegou ao rei de Jericó, que enviou a seguinte ordem a Raabe: "Traga para fora os homens que entraram em sua casa".

Raabe havia levado os homens para o terraço e os escondido debaixo de feixes de linho. Ela os ajudou a descer pela janela por uma corda, pois sua casa fazia parte do muro da cidade. Então os dois espiões atravessaram o Jordão e relataram a Josué tudo que lhes havia acontecido.

Os portões de Jericó estavam muito bem fechados, pois seus habitantes tinham medo dos israelitas. Josué reuniu os sacerdotes e disse: "Escolham sete sacerdotes para irem à frente, cada sacerdote com uma trombeta de chifre de carneiro". Em seguida, ordenou ao povo: "Marchem ao redor da cidade. Os homens armados irão à frente".

Fizeram isso por seis dias. No sétimo dia, Josué ordenou ao povo: "Gritem! O Senhor lhes entregou a cidade!".

O povo gritou com toda a força. De repente, o muro de Jericó veio abaixo. Os israelitas atacaram a cidade e a tomaram. Destruíram completamente tudo que havia dentro dela: homens e mulheres, jovens e velhos.

Os homens que haviam espionado a terra entraram na cidade e tiraram de lá Raabe e todos os outros parentes que estavam com ela. Josué, poupou a vida de Raabe, pois ela havia escondido os espiões.

Assim, Josué assumiu o controle de toda a terra. Ele a entregou ao povo de Israel e a repartiu entre as tribos.

Muito tempo se passou. Josué, agora bastante idoso, convocou todo o Israel e disse:

> "Esforcem-se ao máximo para cumprir cuidadosamente tudo que Moisés escreveu no Livro da Lei. Se quebrarem a aliança do SENHOR, seu Deus, servindo ou adorando outros deuses, vocês desaparecerão rapidamente da boa terra que ele lhes deu".

O povo disse a Josué: "Serviremos ao SENHOR, nosso Deus, e obedeceremos somente a ele!".

Depois de algum tempo, Josué morreu, e surgiu uma nova geração que não conhecia o SENHOR. Os israelitas fizeram o que era mau e serviram às imagens de Baal. Abandonaram o SENHOR, o Deus de seus antepassados, que os havia tirado do Egito. Com isso, a ira do SENHOR ardeu contra Israel, e ele os entregou aos inimigos ao redor.

Então o SENHOR levantou juízes para livrar o povo de seus

agressores. Sempre que levantava um juiz sobre os israelitas, o SENHOR estava com ele e livrava o povo de seus inimigos. Quando o juiz morria, porém, eles voltavam a seus caminhos corruptos e se comportavam ainda pior que seus antepassados.

7

Sansão e Dalila

Os israelitas fizeram o que era mau e serviram às imagens de Baal. Então a ira do SENHOR se acendeu contra Israel. Mas, quando os israelitas pediram socorro ao SENHOR, ele levantou um libertador para salvá-los. Sansão julgou Israel durante vinte anos, no período em que os filisteus dominavam a terra.

Certo dia, Sansão foi à cidade filisteia de Gaza e conheceu uma prostituta, com quem passou a noite. Logo correu a notícia de que Sansão estava lá, e os homens de Gaza se reuniram e esperaram a noite toda junto aos portões da cidade. Pensavam: "Quando o dia clarear, vamos matá-lo".

Mas Sansão ficou deitado só até a meia-noite. Então levantou-se, agarrou os portões da cidade, com os dois batentes, e os ergueu, junto com a tranca. Colocou-os sobre os ombros e os levou para o alto da colina que fica em frente de Hebrom.

Algum tempo depois, Sansão se apaixonou por uma mulher chamada Dalila. Os governantes dos filisteus foram vê-la e disseram: "Seduza Sansão para que ele lhe diga o que o torna tão forte e como podemos dominá-lo e amarrá-lo sem que consiga se soltar. Então cada um de nós dará a você 1.100 peças de prata".

Assim, Dalila disse a Sansão: "Conte-me, por favor, o que o torna tão forte e como poderia ser amarrado sem conseguir se soltar".

Sansão respondeu: "Se eu fosse amarrado com sete cordas de arco novas, ainda não secas, ficaria tão fraco como qualquer outro homem".

Então os governantes filisteus levaram para Dalila sete cordas de arco novas, e ela amarrou Sansão. Ela havia escondido alguns homens num dos quartos interiores da casa e gritou: "Sansão! Os filisteus vieram atacá-lo!". Mas Sansão arrebentou as cordas de arco de uma vez, como se rompe um pedaço de barbante queimado.

Então Dalila disse: "Como você pode dizer que me ama, se não me conta seus segredos?". Todos os dias ela o atormentava com sua importunação.

Por fim, Sansão contou-lhe seu segredo: "Meu cabelo nunca foi cortado, pois fui consagrado a Deus desde o nascimento. Se minha cabeça fosse raspada, eu perderia as forças".

Dalila percebeu que, finalmente, Sansão havia lhe contado a verdade e mandou chamar os governantes filisteus. Fez Sansão dormir com a cabeça em seu colo e então chamou um homem para cortar as sete tranças do cabelo dele. Então, gritou: "Sansão! Os filisteus vieram atacá-lo!".

Ao acordar, ele pensou: "Farei como das outras vezes e me livrarei deles". Não sabia, porém, que o SENHOR o havia deixado. Os filisteus o capturaram e furaram seus olhos. Levaram-no para Gaza, onde o prenderam com duas correntes de bronze, obrigando-o a moer cereais na prisão.

Não demorou muito, porém, e seu cabelo começou a crescer de novo.

Os governantes filisteus realizaram uma grande festa, na qual ofereceram sacrifícios e louvaram seu deus, Dagom. "Nosso deus nos deu a vitória sobre nosso inimigo Sansão!", diziam eles.

A certa altura, estavam muito bêbados e começaram a gritar: "Tragam Sansão para que nos divirta!". Assim, trouxeram Sansão da prisão para diverti-los e o fizeram ficar em pé entre as duas colunas que sustentavam o teto.

Sansão disse ao jovem servo que o guiava pela mão: "Ponha minhas mãos nas duas colunas que sustentam o templo. Quero me apoiar nelas". O templo estava lotado. Todos os governantes filisteus estavam presentes.

Sansão orou: "Ó Deus, fortalece-me só mais esta vez". Então Sansão se apoiou nas colunas centrais, empurrou-as com as duas mãos e exclamou: "Que eu morra com os filisteus!". E o templo desabou sobre todo o povo.

Assim, Sansão matou mais pessoas quando morreu do que em toda a sua vida.

8

A história de Rute

Nos dias em que os juízes governavam Israel, houve grande fome na terra. Por isso, um homem deixou seu lar, em Belém de Judá, e foi morar na terra de Moabe, levando consigo esposa e dois filhos. O homem se chamava Elimeleque, e a esposa, Noemi. Os filhos se chamavam Malom e Quiliom.

Elimeleque morreu, e Noemi ficou com os dois filhos. Eles se casaram com mulheres moabitas, que se chamavam Rute e Orfa. Cerca de dez anos depois, Malom e Quiliom também morreram.

Noemi soube em Moabe que o SENHOR havia abençoado seu povo, dando-lhe boas colheitas. Então Noemi e suas noras se prepararam para deixar Moabe.

A certa altura, porém, Noemi disse às noras: "Voltem para a casa de suas mães! Que o SENHOR as abençoe". Então choraram juntas e Orfa se despediu de sua sogra com um beijo.

Rute, porém, respondeu: "Aonde você for, irei; onde você viver, lá viverei. Seu povo será o meu povo, e seu Deus, o meu Deus".

Então as duas seguiram viagem. Chegaram a Belém quando começava a colheita da cevada. Havia em Belém um homem rico e respeitado chamado Boaz. Ele era parente do marido de Noemi.

Certo dia, Rute saiu para colher espigas após os ceifeiros.

Aconteceu de ela ir trabalhar num campo que pertencia a Boaz. Enquanto Rute estava ali, Boaz foi até Rute e disse: "Ouça, minha filha. Quando for colher espigas, fique conosco. Avisei os homens para não a tratarem mal".

Assim, Rute colheu cevada o dia todo e, à tarde, quando debulhou o cereal, encheu quase um cesto inteiro. Carregou tudo para a cidade e mostrou à sua sogra.

Noemi disse a Rute:

> "Minha filha, Boaz é nosso parente próximo. Hoje à noite, ele estará na eira. Faça o que lhe direi: tome banho, perfume-se e vista sua melhor roupa. Depois vá até lá, mas não deixe que Boaz a veja enquanto ele não tiver terminado de comer e beber. Repare bem no lugar onde ele se deitar. Então vá, descubra os pés dele e deite-se ali".

Assim, naquela noite, ela desceu até a eira e seguiu as instruções de sua sogra.

Quando Boaz terminou de comer e beber e estava alegre, foi deitar-se perto de um monte de grãos e pegou no sono. Rute se aproximou em silêncio, descobriu os pés dele e se deitou. Por volta da meia-noite, Boaz acordou de repente. Ele se virou e ficou admirado de encontrar uma mulher deitada a seus pés.

"Quem é você?", perguntou.

"Sou sua serva Rute", respondeu ela. "Estenda as abas de sua capa sobre mim, pois o senhor é o resgatador de minha família." Rute ficou deitada aos pés de Boaz até de manhã, mas levantou-se antes de raiar o dia.

Rute contou a Noemi tudo que Boaz havia feito, e Noemi disse: "Tenha paciência, minha filha, até sabermos o que vai acontecer".

Boaz foi à porta da cidade e sentou-se ali. Disse às autoridades da cidade e ao povo ao redor: "Vocês são testemunhas de que hoje comprei de Noemi toda a propriedade de Elimeleque. E, junto com a propriedade, tomei como esposa Rute, a viúva moabita".

Boaz levou Rute para a casa dele, e ela se tornou sua esposa. O Senhor permitiu que ela engravidasse, e ela deu à luz um filho. Deram-lhe o nome de Obede. Ele é o pai de Jessé, pai de Davi.

9
Samuel, Saul e Davi

Havia um homem chamado Elcana, que tinha duas esposas: Ana e Penina. Penina tinha filhos; Ana, não. Ana estava muito angustiada e fez o seguinte voto: "Ó SENHOR, se responderes à minha oração e me deres um filho, eu o dedicarei para sempre ao SENHOR".

O SENHOR se lembrou dela. No devido tempo, Ana engravidou e teve um filho. Ela lhe deu o nome de Samuel. Quando foi desmamado, o menino Samuel passou a servir ao SENHOR ajudando o sacerdote Eli.

À medida que Samuel crescia, o SENHOR estava com ele, e todo o Israel sabia que Samuel havia sido confirmado como profeta.

Quando Samuel ficou idoso, as autoridades de Israel lhe disseram: "Escolha um rei para nos julgar, como ocorre com todas as outras nações".

Samuel não gostou e buscou a orientação do SENHOR, que lhe respondeu: "Faça tudo que eles pedem, pois é a mim que rejeitam, e não a você".

Então Samuel reuniu todas as tribos de Israel, e Saul foi escolhido. Quando o procuraram, porém, não o encontraram. Por isso, perguntaram ao SENHOR: "Ele já chegou?".

O SENHOR respondeu: "Está escondido no meio da bagagem". Eles correram até lá e o trouxeram.

E todo o povo gritou: "Viva o rei!".

Os israelitas lutaram ferrenhamente contra os filisteus durante toda a vida de Saul. Os filisteus reuniram seu exército para a batalha e acamparam em Judá. Em resposta, Saul reuniu as tropas israelitas perto do vale de Elá. Assim, filisteus e israelitas ficaram frente a frente, em colinas opostas, com o vale entre eles.

Então Golias, um guerreiro filisteu de Gate, saiu das fileiras do exército filisteu. Ele tinha 2,90 metros de altura. Parou e gritou para as tropas israelitas:

> "Mandem um homem para lutar comigo! Se ele me matar, seremos seus escravos. Mas, se eu o matar, vocês serão nossos escravos!".

Quando Saul e os israelitas ouviram isso, ficaram muito abalados.

Davi era filho de Jessé, de Belém, na terra de Judá. Jessé tinha oito filhos. Os três filhos mais velhos de Jessé haviam se alistado no exército de Saul. Davi era o mais novo. Seus três irmãos seguiam o exército de Saul, enquanto Davi ia e voltava para ajudar seu pai a cuidar das ovelhas em Belém.

Um dia, Jessé disse a Davi: "Leve depressa para seus irmãos que estão no acampamento este cesto com grãos tostados e pães". Davi correu até a frente de batalha para saudar seus irmãos. Enquanto falava com eles, Golias saiu das fileiras do exército filisteu.

Quando os israelitas viram Golias, começaram a fugir, apavorados. "Vocês viram aquele homem?", perguntavam uns aos outros. "Ele sai todos os dias para desafiar Israel. O rei ofereceu uma grande recompensa para quem o matar."

Então Davi perguntou aos soldados: "Quem é esse filisteu incircunciso para desafiar os exércitos do Deus vivo?". Pegou cinco pedras lisas de um riacho e as colocou em sua bolsa de pastor. Armado apenas com seu cajado e sua funda, foi enfrentar o filisteu.

Golias caminhava em direção a Davi, rindo com desprezo do jovem ruivo: "Por acaso sou um cão para que você venha a mim com um pedaço de pau? Venha cá, e darei sua carne às aves!".

Davi respondeu ao filisteu: "Você vem a mim com uma espada, uma lança e um dardo, mas eu vou enfrentá-lo em nome do Deus dos exércitos de Israel".

Quando o filisteu se aproximou para atacar, Davi foi correndo enfrentá-lo. Enfiou a mão na bolsa, pegou uma pedra e atirou-a com sua funda. A pedra acertou o filisteu na testa e ficou encravada ali. Golias caiu com o rosto em terra. Em seguida, Davi correu até o filisteu, puxou da bainha a espada dele e a usou para cortar-lhe a cabeça.

Quando os filisteus viram que seu melhor guerreiro estava morto, deram meia-volta e fugiram. Davi levou a cabeça do filisteu para Jerusalém.

Quando Saul viu Davi sair para lutar contra os filisteus, perguntou a Abner, o comandante de seu exército: "Abner, quem é o pai desse rapaz?".

"Não faço ideia, ó rei!", disse Abner.

"Então descubra quem é!", ordenou.

Assim que Davi voltou, depois de matar Golias, Abner o levou a Saul. Ele ainda carregava a cabeça do filisteu em suas mãos.

Depois que Davi terminou de falar com Saul, formou-se de imediato um forte laço de amizade entre ele e Jônatas, filho do rei, por causa do amor que Jônatas tinha por Davi.

Davi cumpria com êxito todas as missões de que Saul o encarregava. Então Saul lhe deu uma posição de comando no exército. Quando o exército israelita regressou vitorioso, mulheres de todas as cidades cantavam e dançavam de alegria, com tamborins e címbalos. Esta era a canção:

"Saul matou milhares,
e Davi, dezenas de milhares!".

Daquele momento em diante, Saul começou a olhar para Davi com suspeita.

Os filisteus atacaram Israel novamente, e os israelitas fugiram deles. Cercaram Saul e seus filhos, mataram três deles e o feriram gravemente.

Saul disse a seu escudeiro: "Pegue sua espada e mate-me antes que esses filisteus incircuncisos venham, me torturem e zombem de mim". Mas o escudeiro teve medo e não quis matá-lo. Então Saul pegou sua própria espada e se lançou sobre ela.

Davi entoou uma canção fúnebre:

"Como caíram os valentes na batalha!
Quão amados e estimados eram Saul e Jônatas!
Como choro por você, meu irmão Jônatas,
Seu amor por mim era precioso,
mais que o amor das mulheres".

Depois disso, Davi fez um acordo diante do Senhor com todas as autoridades de Israel, e elas o ungiram rei de Israel.

Quando o rei Davi já havia se estabelecido em seu palácio, mandou chamar o profeta Natã. Naquela mesma noite, porém, o SENHOR disse a Natã:

> "Vá e diga a meu servo Davi que assim diz o SENHOR: 'Eu o tirei das pastagens onde você cuidava das ovelhas e o escolhi para ser o líder de meu povo. Quando você for sepultado com seus antepassados, escolherei um de seus filhos, de sua própria descendência, e estabelecerei seu reino. Ele é que construirá uma casa para meu nome, e seu trono será estabelecido para sempre'".

Natã voltou até Davi e contou ao rei tudo que o SENHOR lhe tinha revelado.

Então o rei Davi entrou no santuário, pôs-se diante do SENHOR e orou:

> "Quão grande és, ó Soberano SENHOR! Não há ninguém igual a ti! Que outra nação resgataste da escravidão para ser teu povo? Que o teu nome seja honrado para sempre".

Depois disso, Davi derrotou e sujeitou os filisteus, e o SENHOR lhe concedia vitórias por onde quer que ele fosse. Joabe era comandante de seu exército. No começo do ano, época em que os reis costumavam ir à guerra, Davi enviou Joabe e as tropas israelitas para lutarem contra os amonitas. Mas Davi ficou em Jerusalém.

Certa tarde, Davi se levantou da cama depois de seu descanso e foi caminhar pelo palácio. Enquanto olhava do terraço, reparou numa mulher muito bonita que tomava banho. Davi mandou alguém para descobrir quem era a mulher.

Disseram-lhe: "É Bate-Seba, esposa de Urias, o hitita". Davi enviou mensageiros para que a trouxessem, e teve relações com ela. Passado algum tempo, Bate-Seba enviou um mensageiro a Davi para lhe dizer: "Estou grávida".

Então Davi mandou uma mensagem para Joabe: "Envie-me Urias, o hitita". Quando Urias chegou, Davi perguntou como ia a guerra. Então disse a Urias: "Vá para casa e descanse". Urias, porém, não foi para casa. Passou a noite na entrada do palácio com os guardas do rei.

Então Davi o convidou para jantar e o embriagou. Outra vez, porém, ele dormiu numa esteira, com os guardas do rei, e não foi para sua casa. Na manhã seguinte, Davi escreveu uma carta para Joabe e mandou Urias entregá-la. A carta continha a seguinte instrução: "Coloque Urias na linha de frente, onde o combate estiver mais intenso. Depois, recue para que ele seja morto".

Joabe colocou Urias numa posição próxima do muro da cidade, onde sabia que estavam os principais guerreiros do inimigo. Quando os soldados inimigos saíram da cidade para lutar, Urias, o hitita, foi morto.

Quando a esposa de Urias soube que seu marido havia morrido, chorou por ele. Terminado o período de luto, Davi mandou trazê-la para o palácio. Ela se tornou uma de suas esposas.

Mas o que Davi fez desagradou o SENHOR.

Não havia nenhum homem em todo o Israel tão elogiado por sua beleza como Absalão, filho de Davi; era perfeito da cabeça aos pés. Ele morou dois anos em Jerusalém sem ver o rei. Então, providenciou uma carruagem com cavalos e contratou cinquenta guardas para servirem como sua guarda de honra. Absalão disse ao rei: "Deixe-me ir a Hebrom para cumprir o voto que fiz ao SENHOR".

Então Absalão foi a Hebrom. Enquanto estava lá, enviou em segredo mensageiros para todas as tribos de Israel. Eles diziam às pessoas: "Assim que ouvirem as trombetas, digam: 'Absalão foi coroado rei em Hebrom!'". Absalão levou consigo duzentos homens de Jerusalém como seus convidados. Em pouco tempo, muitos outros se uniram a Absalão, e a conspiração ganhou força.

Logo, um mensageiro chegou a Jerusalém para informar Davi: "Todo o Israel se uniu a Absalão!".

Davi passou em revista os soldados que estavam com ele e deu a seguinte ordem a Joabe: "Por minha causa, tratem o jovem Absalão com bondade".

A batalha começou no bosque de Efraim. Os soldados israelitas foram derrotados pelos homens de Davi. Durante a batalha, Absalão tentou fugir montado numa mula, mas, ao passar debaixo dos galhos espessos de uma grande árvore, ficou enroscado neles pela cabeça. A mula continuou a correr e o deixou ali, pendurado na árvore.

Um dos soldados de Davi presenciou a cena e contou a Joabe, que pegou três dardos e atravessou com eles o peito de Absalão quando ele ainda estava vivo, pendurado na árvore.

Então Joabe disse a um etíope: "Vá e conte ao rei o que você viu". O homem se curvou e partiu correndo.

Enquanto Davi estava entre os portões da cidade, chegou o etíope e disse: "Tenho boas notícias para o meu senhor, o rei. Hoje o SENHOR o livrou de todos que se rebelaram contra o rei".

"E quanto ao jovem Absalão?", perguntou o rei. "Ele está bem?"

O etíope respondeu: "Que todos os inimigos do meu senhor, o rei, tenham o mesmo destino daquele jovem!".

O rei ficou muito abalado. Foi para o quarto que ficava sobre o portão da cidade e começou a chorar: "Ah, meu filho Absalão! Meu filho, meu filho Absalão! Quem me dera eu tivesse morrido em seu lugar! Ah, Absalão, meu filho, meu filho!".

10

Salomão, o sábio

Quando se aproximava o momento de sua morte, Davi deu as seguintes instruções a seu filho Salomão:

> "Vou para onde todos na terra irão algum dia. Seja corajoso e seja homem. Guarde os mandamentos escritos na lei de Moisés. Desse modo, o SENHOR manterá a promessa que me fez: 'Se seus descendentes me seguirem fielmente, sempre haverá um deles no trono de Israel'".

Então Davi morreu e Salomão se sentou no trono de seu pai.

O SENHOR apareceu a Salomão num sonho e lhe disse: "Peça o que quiser, e eu lhe darei". Salomão respondeu: "Dá a teu servo um coração compreensivo, para que eu possa governar bem o teu povo".

O Senhor se agradou do pedido de Salomão.

Algum tempo depois, duas prostitutas compareceram diante do rei para resolver uma questão. Disse uma delas:

> "Esta mulher e eu moramos na mesma casa. Eu dei à luz um filho quando ela estava comigo na casa. Três dias depois, esta mulher também deu à luz um filho. O bebê dela morreu durante a noite, porque ela rolou

sobre ele enquanto dormia. Então ela se levantou de noite, tirou meu filho do meu lado enquanto eu dormia e o pôs para dormir ao lado dela. De manhã, bem cedo, quando fui amamentar meu filho, ele estava morto! Quando o observei mais de perto, na claridade do dia, vi que não era meu".

"Não!", interrompeu a outra mulher. "O filho morto era seu, e o vivo é meu!"

Então o rei disse: "Tragam-me uma espada". Em seguida, disse: "Cortem a criança viva ao meio e deem metade a uma mulher e metade à outra!".

Então, por causa de seu amor pelo menino, a verdadeira mãe gritou: "Não, meu senhor! Dê o menino a ela. Por favor, não o mate!".

A outra mulher, porém, disse: "Muito bem, ele não será nem meu nem seu. Dividam a criança ao meio!".

Então o rei disse: "Não matem o bebê. Deem o menino à mulher que deseja que ele viva, pois ela é a mãe".

Quando todo o Israel soube da decisão do rei, teve grande respeito por ele, pois viu a sabedoria que Deus lhe tinha dado para fazer justiça.

Durante o quarto ano de seu reinado, Salomão começou a construir o templo do SENHOR. Isso ocorreu 480 anos depois que o povo de Israel foi liberto da escravidão na terra do Egito.

A construção do templo levou sete anos.

Quando a rainha de Sabá ouviu falar da fama de Salomão, chegou a Jerusalém com uma comitiva numerosa e uma imensa caravana de camelos carregados de especiarias, ouro e pedras preciosas. Quando se encontrou com Salomão, disse: "É verdade tudo que ouvi em meu país a respeito de suas realizações e de sua sabedoria! Como deve ser feliz o seu povo!".

Salomão se tornou o mais rico e sábio de todos os reis da terra. Gente de todas as nações vinha consultá-lo e ouvir a sabedoria que Deus lhe tinha dado.

O rei Salomão amou muitas mulheres estrangeiras. Quando ele era idoso, elas o induziram a adorar outros deuses. O SENHOR se irou com Salomão e levantou contra ele um líder rebelde, Jeroboão, um dos próprios oficiais do rei. Salomão tentou matar Jeroboão, mas ele fugiu para o Egito e ficou ali até a morte de Salomão.

Salomão reinou por quarenta anos em Jerusalém. Quando morreu, seu filho Roboão foi seu sucessor. Quando Jeroboão soube disso, voltou do Egito. Os líderes de Israel convocaram Jeroboão, e ele e toda a comunidade de Israel foram falar com Roboão. "Seu pai foi muito duro conosco", disseram. "Alivie a carga pesada de trabalho e de impostos altos que seu pai nos obrigou a carregar. Então seremos seus súditos leais."

Roboão respondeu: "Meu pai os castigou com chicotes comuns, mas eu os castigarei com chicotes de pontas de metal!".

Quando todo o Israel viu que o rei não iria atender a seu pedido, respondeu: "Abaixo a dinastia de Davi!". Então o povo de Israel voltou para casa. Roboão, porém, continuou a governar sobre as cidades de Judá.

Quando o povo de Israel soube que Jeroboão tinha voltado do Egito, convocou uma assembleia e o proclamou rei sobre todo o Israel. Então Jeroboão fortificou a cidade de Siquém, na região montanhosa de Efraim, e se estabeleceu ali.

Jeroboão fez dois bezerros de ouro e disse ao povo: "Veja, Israel, estes são os deuses que tiraram vocês do Egito!".

11

O profeta Elias

Quando Roboão morreu, seu filho Abias foi seu sucessor. Quando Abias morreu, seu filho Asa foi seu sucessor. Houve guerra constante entre Judá e Israel.

Quando Jeroboão morreu, seu filho Nadabe foi seu sucessor. Baasa assassinou Nadabe e se tornou seu sucessor. Assim que Baasa subiu ao poder, matou todos os descendentes de Jeroboão. Não restou ninguém de sua família.

Quando Baasa morreu, seu filho Elá foi seu sucessor. Então Zinri, comandante de metade dos carros de guerra do rei, conspirou contra ele e o matou. Onri, comandante do exército, levou todo o exército de Israel e cercou Zinri, e Onri se tornou rei.

Quando Onri morreu, seu filho Acabe foi seu sucessor. Reinou em Samaria e fez o que era mau aos olhos do SENHOR, pior que todos os reis antes dele. Casou-se com Jezabel, filha de Etbaal, rei dos sidônios, e construiu um templo para Baal em Samaria.

Elias, que era de Tisbe, em Gileade, disse ao rei Acabe: "Convoque todo o Israel para encontrar-se comigo no monte Carmelo, além dos profetas de Baal que comem à mesa de Jezabel".

Acabe convocou todo o povo de Israel e os profetas para se reunirem no monte Carmelo. Elias se colocou diante do povo e disse: "Até quando ficarão oscilando de um lado para o outro?

Se o SENHOR é Deus, sigam-no! Mas, se Baal é Deus, então sigam Baal!". O povo, contudo, ficou em silêncio.

Então Elias lhes disse:

> "Sou o único que resta dos profetas do SENHOR, mas Baal tem 450 profetas. Agora, tragam para cá dois novilhos. Que os profetas de Baal escolham um deles, cortem o animal em pedaços e o coloquem sobre a lenha do altar, mas não ponham fogo na lenha. Então invoquem o nome de seu deus, e eu invocarei o nome do SENHOR. O deus que responder com fogo, esse é o Deus verdadeiro!".

E todo o povo concordou.

Os profetas de Baal prepararam um dos novilhos e o colocaram sobre o altar. Invocaram o nome de Baal desde a manhã até o meio-dia e gritavam: "Ó Baal, responde-nos!", mas não houve resposta alguma.

Por volta do meio-dia, Elias começou a zombar deles: "Vocês precisam gritar mais alto", dizia ele. "Sem dúvida ele é um deus! Talvez esteja meditando ou ocupado em outro lugar. Ou talvez esteja viajando, ou dormindo, e precise ser acordado!"

Então gritaram mais alto e cortaram-se com facas e espadas, até sangrarem. Agitaram-se em transe desde o meio-dia até a hora do sacrifício da tarde, mas não houve resposta alguma.

Então Elias disse ao povo: "Venham aqui!". Todos se reuniram em volta dele enquanto ele consertava o altar do SENHOR que havia sido derrubado. Cavou ao redor do altar uma valeta, empilhou lenha sobre o altar, cortou o novilho em pedaços e colocou os pedaços sobre a lenha.

Em seguida, ordenou: "Encham quatro jarras grandes com

água e derramem a água sobre o holocausto e a lenha". Depois que fizeram isso, a água correu ao redor do altar e encheu a valeta.

O profeta Elias se aproximou do altar e orou: "Ó SENHOR, Deus de Abraão, Isaque e Jacó, prova hoje que és Deus em Israel e que sou teu servo".

No mesmo instante, fogo do SENHOR desceu do céu e queimou o novilho, a madeira, as pedras e o chão, e secou até a água da valeta. Quando o povo viu isso, todos se prostraram e gritaram: "O SENHOR é Deus!".

Então Elias ordenou: "Prendam todos os profetas de Baal. Não deixem nenhum escapar!". O povo os prendeu, e Elias os levou para o riacho de Quisom e ali os matou.

Acabe contou a Jezabel tudo que Elias havia feito, incluindo o modo como havia matado todos os profetas de Baal. Por isso, Jezabel enviou esta mensagem a Elias: "Que os deuses me castiguem severamente se, até amanhã nesta hora, eu não fizer a você o que você fez aos profetas de Baal!".

Elias teve medo e fugiu para uma cidade em Judá. Depois, foi sozinho para o deserto, caminhando o dia todo. Sentou-se debaixo de um pé de giesta e orou, pedindo para morrer.

Então, enquanto dormia, um anjo o tocou e disse: "Levante-se e coma!". Elias olhou em redor e viu, perto de sua cabeça, um pão assado e um jarro de água. Comeu e bebeu, e o alimento lhe deu forças para uma jornada de quarenta dias e quarenta noites até o monte Sinai, o monte de Deus. Ali encontrou uma caverna onde passou a noite.

O SENHOR lhe disse: "Saia e ponha-se diante de mim no monte". E, enquanto Elias estava ali, o SENHOR passou, e um forte vendaval atingiu o monte, mas o SENHOR não estava no vento. Depois do vento houve um terremoto, mas o SENHOR não estava no terremoto. Depois do terremoto houve fogo, mas o SENHOR não estava no fogo.

E, depois do fogo, veio um suave sussurro.

Quando Elias o ouviu, cobriu o rosto com a capa, saiu e ficou na entrada da caverna. E uma voz disse: "O que você faz aqui, Elias?".

Ele respondeu:

> "Tenho servido com zelo o Deus dos Exércitos. Contudo, os israelitas quebraram a aliança contigo, derrubaram teus altares e mataram todos os teus profetas. Sou o único que restou, e agora também procuram me matar".

Então o SENHOR lhe disse: "Volte pelo caminho por onde veio e unja Eliseu para substituir você como meu profeta".

Elias encontrou Eliseu arando um campo. Elias se aproximou de Eliseu, lançou sua capa sobre os ombros dele e continuou a caminhar. Eliseu então partiu com Elias, como seu ajudante.

Depois da morte do rei Acabe, Elias e Eliseu caminhavam e conversavam junto ao rio Jordão. De repente, surgiu uma carruagem de fogo, puxada por cavalos de fogo. Passou entre os dois e os separou, e Elias foi levado para o céu num redemoinho.

12

A história de Jonas

O SENHOR deu esta mensagem a Jonas: "Vá à grande cidade de Nínive. Anuncie meu julgamento contra ela, pois vi como seu povo é perverso". Jonas se aprontou, mas foi na direção contrária, a fim de fugir do SENHOR. Desceu ao porto de Jope, onde encontrou um navio que estava de partida para Társis. Comprou a passagem e embarcou.

O SENHOR, porém, enviou sobre o mar um vento forte, e caiu uma tempestade tão violenta que o navio estava prestes a se despedaçar. Com muito medo, os marinheiros clamavam a seus deuses para que os socorressem. Então a tripulação tirou sortes para ver qual deles havia ofendido os deuses e causado a terrível tempestade. Quando tiraram as sortes, elas indicaram que Jonas era o culpado.

Jonas respondeu: "Joguem-me ao mar, e ele voltará a ficar calmo. Eu sei que esta terrível tempestade é culpa minha".

Então os marinheiros pegaram Jonas e o lançaram ao mar e, no mesmo instante, a furiosa tempestade se aquietou.

O SENHOR fez que um grande peixe engolisse Jonas. E Jonas ficou dentro do peixe por três dias e três noites.

Então o SENHOR ordenou que o peixe vomitasse Jonas na praia. Depois disso, o SENHOR falou com Jonas pela segunda vez: "Vá à grande cidade de Nínive e transmita a mensagem que eu lhe dei".

Dessa vez, Jonas obedeceu. Os habitantes de Nínive creram em Deus e declararam um jejum e se vestiram de pano de saco. Quando Deus viu o que fizeram, voltou atrás e não os destruiu como havia ameaçado.

Isso tudo deixou Jonas muito irado. Então foi até um lugar a leste de Nínive e construiu um abrigo para ver o que aconteceria à cidade.

Deus fez crescer ali uma planta, que logo espalhou suas folhas grandes sobre a cabeça de Jonas e o protegeu do sol. Isso aliviou o desconforto de Jonas, e ele ficou muito grato pela planta.

No dia seguinte, porém, Deus também mandou uma lagarta. Ela comeu o talo da planta, que secou. Quando o calor do sol se intensificou, Deus mandou um vento leste quente soprar sobre Jonas. O sol bateu em sua cabeça até ele sentir-se tão fraco que desejou morrer.

Deus perguntou a Jonas: "Você acha certo ficar tão irado por causa da planta?".

Jonas respondeu: "Sim, acho certo ficar tão irado a ponto de querer morrer!".

Então o SENHOR disse: "Você tem compaixão de uma planta, embora não tenha feito coisa alguma para que ela crescesse. Ela depressa apareceu e depressa murchou. Nínive, porém, tem mais de 120 mil pessoas que não sabem decidir entre o certo e o errado, sem falar de muitos animais. Acaso não devo ter compaixão dessa grande cidade?".

13
Exílio e retorno

O rei da Assíria ocupou todo o território de Israel e, durante três anos, cercou a cidade de Samaria. Por fim, o rei assírio conquistou Samaria e exilou os israelitas na Assíria.

Isso aconteceu porque os israelitas pecaram contra o SENHOR, que os havia tirado da terra do Egito. Rejeitaram os mandamentos do SENHOR e adoraram Baal e todos os astros do céu. Chegaram a sacrificar os próprios filhos e filhas no fogo.

O SENHOR se indignou muito com Israel e o expulsou de sua presença. Com isso, restou somente a tribo de Judá. Mesmo o povo de Judá, porém, não obedeceu aos mandamentos de Deus. Profanaram o templo do SENHOR, que havia sido consagrado em Jerusalém. Repetidamente, o SENHOR enviou profetas para adverti-los. No entanto, eles desprezaram suas palavras.

Então o SENHOR trouxe o rei da Babilônia contra eles. Os babilônios não tiveram piedade nem dos rapazes, nem das moças, nem dos idosos e doentes. Deus os entregou todos nas mãos do rei, que levou para a Babilônia todos os tesouros do templo do SENHOR. Seu exército queimou o templo, derrubou os muros de Jerusalém, queimou todos os palácios e destruiu tudo que era de valor.

Os poucos que sobreviveram foram levados para o exílio na Babilônia e se tornaram servos do rei e de seus filhos, até que o reino da Pérsia conquistou o poder.

Nabucodonosor, rei da Babilônia, ordenou que o chefe de seus oficiais trouxesse ao palácio alguns dos jovens israelitas da família real. Deus concedeu aos rapazes aptidão incomum, e a Daniel concedeu a capacidade especial de interpretar sonhos e visões.

Muitos anos depois, o rei Belsazar deu um grande banquete e ordenou que trouxessem as taças de ouro e prata que seu antecessor, Nabucodonosor, havia tirado do templo em Jerusalém. Então o rei e seus nobres, suas esposas e concubinas beberam nelas.

De repente, viram dedos de mão humana escreverem no reboco da parede do palácio real. O próprio rei viu a mão enquanto ela escrevia, e seu rosto ficou pálido de medo. Aos gritos, mandou chamar os encantadores, os astrólogos e os adivinhos. Nenhum deles foi capaz de ler a inscrição nem de dizer o que ela significava.

Então Daniel foi levado à presença do rei, que lhe perguntou: "Você é Daniel, de Judá? Soube que o espírito dos deuses está em você. Se conseguir ler as palavras e disser o que significam, você se tornará o terceiro em importância em meu reino".

Daniel respondeu ao rei: "Esta é a mensagem que foi escrita: MENE, MENE, TEQUEL e PARSIM. E este é o significado das palavras:

> "*Mene*: Deus contou os dias de seu reinado e determinou seu fim.
>
> "*Tequel*: Você foi pesado na balança e não atingiu o peso necessário.

> "*Parsim*: Seu reino será dividido e entregue aos medos e aos persas".

Então, por ordem de Belsazar, declararam Daniel o terceiro em importância no reino.

Naquela mesma noite, Belsazar, rei da Babilônia, foi morto. E Dario, o medo, se apoderou do reino.

O rei Dario escolheu como administradores Daniel e outros dois homens, para que protegessem os interesses do rei. Por causa da grande capacidade de Daniel, o rei planejava colocá-lo à frente de todo o reino. Os outros administradores começaram a procurar falhas no modo como Daniel conduzia as questões de governo, mas nada encontraram. Por isso, concluíram: "Nossa única chance de encontrar algum motivo para acusar Daniel será em relação às leis de seu Deus".

Então os administradores e os altos funcionários foram até o rei e lhe disseram:

> "Que o rei Dario viva para sempre! Nós estamos todos de acordo que o rei deve decretar uma lei a ser cumprida rigorosamente. Dê ordens para que, nos próximos trinta dias, qualquer pessoa que orar a alguém, divino ou humano, exceto ao rei, seja lançada na cova dos leões. Agora, ó rei, decrete e assine essa lei para que não possa ser mudada".

E o rei Dario assinou a lei.

Quando Daniel soube que a lei tinha sido assinada, foi para casa e, como de costume, orou três vezes por dia. Então os oficiais foram ao rei e disseram: "Aquele homem, Daniel, não dá importância ao rei nem à sua lei".

Então o rei deu ordens para que Daniel fosse preso e lançado na cova dos leões. Trouxeram uma pedra e a colocaram sobre a abertura da cova.

De manhã bem cedo, o rei levantou-se e foi apressadamente à cova dos leões. Quando chegou lá, gritou angustiado: "Daniel, o Deus a quem você serve pôde livrá-lo dos leões?".

Daniel respondeu: "Que o rei viva para sempre! Meu Deus enviou seu anjo para fechar a boca dos leões, pois fui considerado inocente aos olhos de Deus".

O rei ficou muito alegre e ordenou que tirassem Daniel da cova. Então Dario enviou esta mensagem a povos de todas as nações em todo o mundo:

> "Decreto que todos em meu reino devem tremer de medo diante do Deus de Daniel. Pois ele é o Deus vivo. Seu reino jamais será destruído, e seu domínio não terá fim".

No primeiro ano de Ciro, rei da Pérsia, o SENHOR despertou o coração de Ciro para registrar por escrito a seguinte proclamação e enviá-la a todo o seu reino:

> "O Deus dos céus me deu todos os reinos da terra. Ele me encarregou de lhe construir um templo em Jerusalém, em Judá. Quem pertence ao povo de Deus, volte a Jerusalém para reconstruir o templo. E que seu Deus esteja com vocês!".

Então o SENHOR despertou o coração dos chefes das tribos de Judá para que fossem a Jerusalém e reconstruíssem o templo. Os que regressaram para Judá foram 42.360. Quando chegaram, os sacerdotes e alguns do povo se estabeleceram em povoados perto de Jerusalém. O restante do povo regressou às suas cidades em todo o Israel.

A construção do templo de Deus começou no segundo ano depois da chegada a Jerusalém. O templo foi concluído e dedicado com grande alegria pelos israelitas.

Muitos anos depois, um homem chamado Esdras, escriba e conhecedor da lei de Moisés, foi da Babilônia a Jerusalém. Os israelitas pediram a Esdras que trouxesse o Livro da Lei de Moisés. Esdras trouxe o Livro perante a comunidade e leu em voz alta para todos que podiam entender. Todo o povo ouviu com atenção.

Então Esdras louvou o SENHOR, e todo o povo disse: "Amém! Amém!".

Epílogo: Uma profecia

(Isaías 40.1-8)

"Consolem, consolem meu povo", diz o seu Deus.
    "Falem com carinho a Jerusalém;
digam-lhe que seus dias de luta acabaram
    e que seus pecados foram perdoados."

Ouçam! Uma voz clama:
    "Abram caminho no deserto para o SENHOR!
Preparem para nosso Deus
    uma estrada reta na terra desolada!
Aterrem os vales,
    nivelem os montes e as colinas.
Endireitem as curvas,
    tornem planos os trechos acidentados.
Então a glória do SENHOR será revelada,
    e todos a verão".

Uma voz disse: "Clame!".
    Eu perguntei: "O que devo clamar?".
"Anuncie que os seres humanos são como capim;
    sua beleza passa depressa,
    como as flores do campo.

O capim seca e as flores murcham
quando o SENHOR sopra sobre elas;
o mesmo acontece aos seres humanos.
O capim seca e as flores murcham,
mas a palavra de nosso Deus permanece para sempre."

PARTE 2

CENAS DO NOVO TESTAMENTO

Prólogo: No início

No princípio, aquele que é a Palavra já existia.
A Palavra estava com Deus, e a Palavra era Deus.
 Ele existia no princípio com Deus.

Por meio dele Deus criou todas as coisas,
 e sua vida trouxe luz a todos.

A luz brilha na escuridão,
 e a escuridão nunca conseguiu apagá-la.

A Palavra se tornou ser humano e habitou entre nós.
 Ele era cheio de graça e verdade.

14

Jesus nasce

Deus enviou o anjo Gabriel a Nazaré, uma cidade da Galileia, a uma virgem de nome Maria. Ela estava prometida em casamento a um homem chamado José, descendente do rei Davi. Gabriel apareceu a ela e lhe disse:

> "Não tenha medo, Maria, pois você encontrou favor diante de Deus. Ficará grávida e dará à luz um filho, e o chamará Jesus. Ele será chamado Filho do Altíssimo, e seu reino jamais terá fim!".

Maria respondeu: "Sou serva do Senhor. Que aconteça comigo tudo que foi dito a meu respeito".

Naqueles dias, o imperador Augusto decretou um recenseamento em todo o império romano. Por ser descendente do rei Davi, José viajou da cidade de Nazaré da Galileia para Belém, na Judeia, terra natal de Davi, levando consigo Maria, sua noiva, que estava grávida.

E, estando eles ali, ela deu à luz seu primeiro filho, um menino. Envolveu-o em faixas de pano e deitou-o numa manjedoura, porque não havia lugar para eles na hospedaria.

Naquela noite, havia alguns pastores nos campos próximos, vigiando rebanhos de ovelhas. De repente, um anjo do

Senhor apareceu entre eles, e o brilho da glória do Senhor os cercou. O anjo lhes disse:

> "Não tenham medo! Trago boas notícias. Hoje em Belém, a cidade de Davi, nasceu o Salvador, que é Cristo, o Senhor!".

De repente, juntou-se ao anjo uma grande multidão do exército celestial, louvando a Deus e dizendo:

> "Glória a Deus nos mais altos céus,
> e paz na terra àqueles de que Deus se agrada!".

Quando os anjos voltaram para o céu, os pastores foram depressa ao povoado e encontraram Maria e José. E lá estava o bebê, deitado na manjedoura.

Jesus nasceu durante o reinado de Herodes. Por esse tempo, alguns sábios das terras do Oriente chegaram a Jerusalém e perguntaram: "Onde está o recém-nascido rei dos judeus? Vimos sua estrela no Oriente e viemos adorá-lo".

Ao ouvir isso, o rei Herodes ficou perturbado. Convocou os sábios e disse: "Vão a Belém e procurem o menino com atenção. Quando o encontrarem, voltem e digam-me, para que eu vá e também o adore".

Os sábios seguiram seu caminho, guiados pela estrela que tinham visto no Oriente. Ela ia adiante deles, até que parou acima do lugar onde o menino estava. Ao entrar na casa, viram o menino com Maria, sua mãe, e o adoraram. Então abriram seus tesouros e o presentearam com ouro, incenso e mirra.

Quando chegou a hora de partir, retornaram para sua terra

por outro caminho, pois haviam sido avisados em sonho para não voltar a Herodes.

Depois que os sábios partiram, um anjo do Senhor apareceu a José em sonho: "Levante-se! Fuja para o Egito com o menino e sua mãe, pois Herodes vai procurar o menino a fim de matá-lo".

Naquela mesma noite, José se levantou e partiu com o menino e Maria para o Egito, onde ficaram até a morte de Herodes.

Quando Herodes se deu conta de que os sábios o haviam enganado, ficou furioso. Enviou soldados para matar todos os meninos de dois anos para baixo em Belém e seus arredores.

Quando Herodes morreu, um anjo do Senhor apareceu em sonho a José, no Egito. "Levante-se", disse o anjo. "Leve o menino e a mãe de volta para a terra de Israel." Então a família foi morar numa cidade chamada Nazaré. E Jesus crescia em sabedoria, em estatura e no favor de Deus e das pessoas.

15

O curador

Era o décimo quinto ano do reinado do imperador Tibério César. Pôncio Pilatos era governador da Judeia.

Naqueles dias, João Batista apareceu no deserto da Judeia e começou a anunciar a seguinte mensagem: "Arrependam-se, pois o reino dos céus está próximo". O profeta Isaías se referia a João quando disse:

> "Ele é uma voz que clama no deserto:
> 'Preparem o caminho para a vinda do Senhor!'".

Jesus foi da Galileia ao rio Jordão para que João o batizasse. Enquanto Jesus saía da água, o céu se abriu, e ele viu o Espírito de Deus descer como uma pomba e pousar sobre ele. E uma voz do céu disse: "Este é meu Filho amado, que me dá grande alegria".

Jesus estava com cerca de trinta anos quando foi conduzido pelo Espírito no deserto, onde foi tentado pelo diabo durante quarenta dias. Não comeu nada durante todo esse tempo, e teve fome. Então o diabo lhe disse: "Se você é o Filho de Deus, ordene que esta pedra se transforme em pão".

Jesus, porém, respondeu: "As Escrituras dizem: 'Uma pessoa não vive só de pão'".

Então Jesus voltou para a Galileia. Quando chegou a Nazaré, cidade de sua infância, foi à sinagoga no sábado, como de costume, e se levantou para ler as Escrituras. Entregaram-lhe o livro do profeta Isaías, e ele o abriu e encontrou o lugar onde estava escrito:

> "O Espírito do Senhor está sobre mim,
> pois ele me ungiu para trazer as boas-novas aos pobres.
> Ele me enviou para anunciar que os cativos serão soltos,
> os cegos verão,
> os oprimidos serão libertos,
> e que é chegado o tempo do favor do Senhor".

Jesus fechou o livro e sentou-se. Todos na sinagoga o olhavam atentamente. Então ele começou a dizer: "Hoje se cumpriram as Escrituras que vocês acabaram de ouvir".

Então Jesus foi a Cafarnaum, uma cidade na Galileia. Certa ocasião, estando ele na sinagoga, um homem possuído por um espírito impuro gritou: "Por que vem nos importunar, Jesus de Nazaré? Sei quem é você: o Santo de Deus!".

Jesus o repreendeu, dizendo: "Cale-se! Saia deste homem!". Então o espírito jogou o homem no chão à vista da multidão e saiu dele, sem machucá-lo.

Admirado, o povo exclamava: "Que autoridade e poder ele tem! Até os espíritos impuros lhe obedecem!".

Quando o sol se pôs, as pessoas trouxeram seus familiares enfermos até ele. Qualquer que fosse a doença, ao pôr as mãos sobre eles, Jesus curava a todos.

Logo cedo na manhã seguinte, Jesus retirou-se para um lugar isolado. As multidões o procuravam por toda parte e, quando finalmente o encontraram, suplicaram que não as deixasse. Ele, porém, disse: "Preciso anunciar as boas-novas do reino de Deus também em outras cidades, pois para isso fui enviado".

E continuou a anunciar sua mensagem nas sinagogas da Judeia.

Quando Jesus chegou a Cafarnaum, um oficial romano se aproximou dele e suplicou: "Senhor, meu jovem servo está de cama, paralisado e com dores terríveis".

Jesus disse: "Vou até lá para curá-lo".

O oficial, porém, respondeu: "Senhor, não mereço que entre em minha casa. Basta uma ordem sua, e meu servo será curado".

Quando Jesus ouviu isso, ficou admirado e disse aos que o seguiam:

> "Eu lhes digo a verdade: jamais vi fé como esta em Israel! E também lhes digo: muitos virão de toda parte, do leste e do oeste, e se sentarão com Abraão, Isaque e Jacó no banquete do reino dos céus. Mas muitos para os quais o reino foi preparado serão lançados fora, na escuridão".

Então Jesus disse ao oficial romano: "Volte para casa. Tal como você creu, assim acontecerá". E o jovem servo foi curado na mesma hora.

Certo sábado, quando Jesus ensinava numa sinagoga, apareceu uma mulher enferma que andava encurvada havia dezoito anos e não conseguia se endireitar.

Ao vê-la, Jesus a chamou para perto e disse: "Mulher, você está curada de sua doença!". Ele a tocou e, no mesmo instante, ela conseguiu se endireitar.

O chefe da sinagoga ficou indignado porque Jesus a tinha curado no sábado. "Há seis dias na semana para trabalhar", disse ele à multidão. "Venham nesses dias para serem curados, e não no sábado."

O Senhor, porém, respondeu: "Hipócritas! Todos vocês trabalham no sábado! Acaso não desamarram no sábado o boi ou o jumento do estábulo e o levam dali para lhe dar água? Esta mulher, uma filha de Abraão, foi mantida presa por Satanás durante dezoito anos. Não deveria ela ser liberta, mesmo que seja no sábado?".

As palavras de Jesus envergonharam seus adversários, mas todo o povo se alegrava com as coisas maravilhosas que ele fazia.

Enquanto Jesus caminhava, viu um homem chamado Mateus sentado onde se coletavam impostos. "Siga-me", disse-lhe Jesus, e Mateus se levantou e o seguiu.

Mais tarde, na casa de Mateus, Jesus e seus discípulos estavam à mesa, acompanhados de um grande número de cobradores de impostos e pecadores. Quando os fariseus viram isso, perguntaram aos discípulos: "Por que o seu mestre come com cobradores de impostos e pecadores?".

Jesus ouviu o que disseram e respondeu: "As pessoas saudáveis não precisam de médico, mas sim os doentes". E acrescentou:

> "Agora vão e aprendam o significado desta passagem das Escrituras: 'Quero que demonstrem misericórdia, e não que ofereçam sacrifícios'. Pois não vim para chamar os justos, mas sim os pecadores".

Certo dia, pouco depois, Jesus subiu a um monte para orar e passou a noite orando a Deus. Quando amanheceu, reuniu seus discípulos e escolheu doze para serem apóstolos. Estes são seus nomes:

Simão, a quem ele chamou Pedro,
André, irmão de Pedro,
Tiago,
João,
Filipe,
Bartolomeu,
Mateus,
Tomé,
Tiago, filho de Alfeu,
Simão, apelidado de zelote,
Judas, filho de Tiago,
Judas Iscariotes.

Certo dia, Jesus orava em particular, acompanhado apenas dos discípulos. Ele lhes perguntou: "Quem as multidões dizem que eu sou?".

Os discípulos responderam: "Alguns dizem que o senhor é João Batista; outros, que é Elias; e outros ainda, que é um dos profetas antigos que ressuscitou".

"E vocês?", perguntou ele. "Quem vocês dizem que eu sou?"

Pedro respondeu: "O senhor é o Cristo enviado por Deus!".

Depois, Jesus levou consigo Pedro e os dois irmãos, Tiago e João, até um monte alto. Enquanto os três observavam, a aparência de Jesus foi transformada e suas roupas se tornaram brancas como a luz. De repente, Moisés e Elias apareceram e começaram a falar com Jesus.

Então uma nuvem os cobriu, e uma voz que vinha da nuvem disse: "Este é meu Filho amado. Ouçam-no!". Os discípulos ficaram aterrorizados e, quando levantaram os olhos, viram apenas Jesus.

16
O mestre

Certo dia, quando Jesus viu que as multidões se ajuntavam, subiu a encosta do monte e ali sentou-se. Seus discípulos se reuniram ao redor, e ele começou a ensiná-los.

"Felizes os pobres de espírito,
pois o reino dos céus lhes pertence.
Felizes os que choram,
pois serão consolados.
Felizes os humildes,
pois herdarão a terra.
Felizes os que têm fome e sede de justiça,
pois serão saciados.
Felizes os misericordiosos,
pois serão tratados com misericórdia.
Felizes os que têm coração puro,
pois verão a Deus.
Felizes os que promovem a paz,
pois serão chamados filhos de Deus.
Felizes os perseguidos por causa da justiça,
pois o reino dos céus lhes pertence.

"Mas a vocês que me ouvem, eu digo:
amem os seus inimigos,

façam o bem a quem os odeia,
abençoem quem os amaldiçoa,
orem por quem os maltratam.
Se alguém lhe der um tapa numa face,
ofereça também a outra.
Se alguém exigir de você a roupa do corpo,
deixe que leve também a capa.
Dê a quem pedir
e, quando tomarem suas coisas,
não tente recuperá-las.

"Façam aos outros o que vocês desejam que eles lhes façam.

"Se vocês amam apenas aqueles que os amam,
que mérito têm?
Até os pecadores amam quem os ama.
E, se fazem o bem apenas aos que fazem o bem a vocês,
que mérito têm?
Até os pecadores agem desse modo.

"Portanto, amem os seus inimigos,
façam-lhes o bem
e emprestem a eles sem esperar nada de volta.
Então estarão agindo, de fato, como filhos do Altíssimo,
pois ele é bondoso até mesmo com os ingratos e
perversos.
Sejam misericordiosos,
assim como seu Pai é misericordioso.

"Não julguem e não serão julgados.
Não condenem e não serão condenados.

Perdoem e serão perdoados.
Deem e receberão."

Como se aproximava o tempo de ser elevado ao céu, Jesus partiu com determinação para Jerusalém.

Certo dia, um especialista da lei se levantou para pôr Jesus à prova com esta pergunta: "Mestre, o que preciso fazer para herdar a vida eterna?".

Jesus respondeu: "O que diz a lei de Moisés?".

O homem respondeu: "'Ame o Senhor, seu Deus, de todo o seu coração, de toda a sua alma, de toda a sua força e de toda a sua mente' e 'Ame o seu próximo como a si mesmo'".

"Está correto!", disse Jesus. "Faça isso, e você viverá."

O homem, porém, querendo justificar suas ações, perguntou a Jesus: "E quem é o meu próximo?".

Jesus respondeu com uma história:

"Certo homem descia de Jerusalém a Jericó, quando foi atacado por bandidos. Eles lhe tiraram as roupas, o espancaram e o deixaram quase morto à beira da estrada.

"Por acaso, descia por ali um sacerdote. Quando viu o homem caído, atravessou para o outro lado da estrada. Um levita fazia o mesmo caminho e viu o homem caído, mas também atravessou e passou longe.

"Então veio um samaritano e, ao ver o homem, teve compaixão dele. Foi até ele, tratou de seus ferimentos com óleo e vinho e os enfaixou. Depois, colocou o homem em seu jumento e o levou a uma hospedaria, onde cuidou dele.

"No dia seguinte, deu duas moedas de prata ao dono da hospedaria e disse: 'Cuide deste homem. Se você precisar gastar a mais com ele, eu lhe pagarei a diferença quando voltar'.

"Qual desses três você diria que foi o próximo do homem atacado pelos bandidos?", perguntou Jesus.

O especialista da lei respondeu: "Aquele que teve misericórdia dele".

Então Jesus disse: "Vá e faça o mesmo".

Certo dia, Jesus estava orando em determinado lugar. Quando terminou, um de seus discípulos lhe disse: "Senhor, ensine-nos a orar".

Jesus disse: "Orem da seguinte forma:

"Pai, santificado seja o teu nome.
Venha o teu reino.
Dá-nos hoje o pão para este dia,
e perdoa nossos pecados,
assim como perdoamos aqueles que pecam contra nós.
E não nos deixes cair em tentação".

Certo dia, alguns fariseus e mestres da lei chegaram de Jerusalém para ver Jesus. Observaram que alguns de seus discípulos comiam sua refeição com as mãos impuras, ou seja, sem lavá-las.

Então os fariseus lhe perguntaram: "Por que seus discípulos comem sem antes realizar a cerimônia de lavar as mãos?".

Jesus chamou a multidão para perto de si e disse: "Ouçam e procurem entender. Não é o que entra pela boca que os contamina; vocês se contaminam com as palavras que saem dela". (Ao dizer isso, declarou que todo tipo de comida é aceitável.)

Em seguida, acrescentou:

> "Aquilo que vem de dentro é que os contamina. Pois, de dentro, do coração da pessoa, vêm maus pensamentos, imoralidade sexual, roubo, homicídio, adultério, cobiça, perversidade, engano, paixões carnais, inveja, calúnias, orgulho e insensatez. Todas essas coisas desprezíveis vêm de dentro; são elas que os contaminam".

Os fariseus reuniram-se novamente para interrogá-lo. Um deles, especialista na lei, tentou apanhá-lo numa armadilha com a seguinte pergunta: "Mestre, qual é o mandamento mais importante da lei de Moisés?".

Jesus respondeu:

> "'Ame o Senhor, seu Deus, de todo o seu coração, de toda a sua alma e de toda a sua mente'. Este é o primeiro e o maior mandamento. O segundo é igualmente importante: 'Ame o seu próximo como a si mesmo'. Toda a lei e todas as exigências dos profetas se baseiam nesses dois mandamentos".

Na manhã seguinte, Jesus estava outra vez no templo. Logo se reuniu uma multidão, e ele se sentou e a ensinou. Então os mestres da lei e os fariseus lhe trouxeram uma mulher pega em adultério e a colocaram diante da multidão.

"Mestre, esta mulher foi pega no ato de adultério", disseram eles a Jesus. "A lei de Moisés ordena que ela seja apedrejada. O que o senhor diz?"

Procuravam apanhá-lo numa armadilha, ao fazê-lo dizer algo que pudessem usar contra ele. Continuaram a exigir uma resposta, de modo que ele se levantou e disse: "Aquele de vocês que nunca pecou atire a primeira pedra".

Quando ouviram isso, foram saindo, um de cada vez, até que só restaram Jesus e a mulher no meio da multidão.

Então Jesus disse à mulher: "Onde estão seus acusadores? Nenhum deles a condenou?".

"Não, Senhor", respondeu ela.

E Jesus disse: "Eu também não a condeno. Vá e não peque mais".

No dia seguinte, uma grande multidão de visitantes que tinham vindo para a Páscoa tomou ramos de palmeiras e saiu ao seu encontro, gritando: "Hosana! Bendito é o que vem em nome do Senhor! Bendito é o Rei de Israel!".

Então Jesus entrou no templo e começou a expulsar todos que ali estavam comprando e vendendo animais para os sacrifícios. Disse ele: "As Escrituras declaram: 'Meu templo será chamado casa de oração', mas vocês o transformaram num esconderijo de ladrões!".

Jesus ensinava todos os dias no templo, mas os principais sacerdotes, os mestres da lei e outros líderes do povo planejavam matá-lo.

Então Judas Iscariotes, um dos Doze, foi aos principais sacerdotes e começou a procurar uma oportunidade para trair Jesus.

17

O sacrifício

No primeiro dia da Festa dos Pães sem Fermento, quando o cordeiro pascal era sacrificado, Jesus enviou dois discípulos à cidade, e ali prepararam a refeição da Páscoa.

Ao anoitecer, Jesus chegou com os Doze. Quando estavam à mesa, comendo, Jesus tomou o pão e o abençoou. Em seguida, partiu-o em pedaços e deu aos discípulos, dizendo: "Tomem, porque este é o meu corpo".

Então tomou o cálice de vinho e disse: "Este é o meu sangue, que confirma a aliança. Ele é derramado como sacrifício por muitos".

Jesus levantou-se da mesa, derramou água numa bacia e começou a lavar os pés de seus discípulos. Depois, perguntou:

> "Vocês entendem o que fiz? Eu lhes dei um exemplo a ser seguido. Façam como eu fiz a vocês. Assim como eu os amei, vocês devem amar uns aos outros. Não existe amor maior do que dar a vida por seus amigos".

Então cantaram um hino e saíram para o monte das Oliveiras.

No caminho, Jesus disse: "Todos vocês me abandonarão".

Pedro declarou: "Eu jamais farei isso".

Jesus respondeu: "Eu lhe digo a verdade: esta mesma noite, antes que o galo cante, você negará que me conhece".

Então foram a um lugar chamado Getsêmani, e Jesus disse a seus discípulos: "Minha alma está profundamente triste, a ponto de morrer. Fiquem aqui e vigiem".

Ele avançou um pouco e curvou-se até o chão. E clamou: "Aba, Pai, peço que afastes de mim este cálice. Contudo, que seja feita a tua vontade, e não a minha".

Depois, voltou aos discípulos e os encontrou dormindo. Disse ele a Pedro: "Vigiem e orem, pois o espírito está disposto, mas a carne é fraca".

Enquanto Jesus ainda falava, Judas chegou com uma multidão armada de espadas. Agarraram Jesus e o prenderam.

Então todos o abandonaram e fugiram.

Levaram Jesus para a casa do sumo sacerdote. Lá dentro, os principais sacerdotes e todo o conselho dos líderes do povo tentavam, sem sucesso, encontrar provas contra Jesus, para que pudessem condená-lo à morte. Então o sumo sacerdote se levantou e perguntou: "Você é o Cristo, o Filho do Deus Bendito?".

"Eu sou", disse Jesus.

Então o sumo sacerdote rasgou as vestes e disse: "Todos ouviram a blasfêmia. Qual é o veredicto?".

E todos o julgaram culpado e o condenaram à morte. Então alguns deles começaram a cuspir em Jesus. Vendaram seus olhos e lhe deram socos.

Enquanto isso, Pedro estava lá embaixo, no pátio. Uma das criadas que trabalhava para o sumo sacerdote viu Pedro, olhou bem para ele e disse: "Você é um dos que estavam com Jesus de Nazaré".

Ele, porém, negou: "Não faço a menor ideia do que você está falando!". Naquele instante, o galo cantou. Então Pedro se lembrou das palavras de Jesus. E começou a chorar.

Então todo o conselho levou Jesus a Pilatos, o governador romano. Começaram a apresentar o caso: "Este homem corrompe o nosso povo, afirmando ser ele próprio o Cristo, o rei".

Então Pilatos lhe perguntou: "Você é o rei dos judeus?".

Jesus respondeu: "Meu reino não é deste mundo".

Pilatos disse: "Então você é rei?".

"Vim ao mundo para testemunhar a verdade", respondeu Jesus.

Pilatos perguntou: "Que é a verdade?".

Então Pilatos mandou açoitar Jesus. Os soldados fizeram uma coroa de espinhos e a colocaram em sua cabeça, e depois puseram nele um manto vermelho. Zombavam dele, dizendo: "Salve, rei dos judeus!".

Pilatos saiu outra vez e disse ao povo: "Agora vou trazê-lo aqui para vocês, mas que fique bem claro: eu o considero inocente".

Então Jesus saiu com a coroa de espinhos e o manto vermelho. "Vejam, aqui está o homem!", disse Pilatos.

Quando os principais sacerdotes e os guardas do templo o viram, começaram a gritar: "Crucifique-o! Crucifique-o!".

Pilatos viu que de nada adiantava insistir e que um tumulto se iniciava. Assim, mandou buscar uma bacia com água, lavou as mãos diante da multidão e disse: "Estou inocente do sangue deste homem. A responsabilidade é de vocês".

Então Pilatos lhes entregou Jesus para ser crucificado.

Dois outros homens, ambos criminosos, foram levados com ele a fim de também serem executados. Quando chegaram ao lugar chamado Caveira, o pregaram na cruz. Jesus disse: "Pai, perdoa-lhes, pois não sabem o que fazem".

Ao meio-dia, desceu sobre toda a terra uma escuridão que

durou três horas. Por volta das três da tarde, Jesus clamou em alta voz: "Meu Deus, meu Deus, por que me abandonaste?".

Naquele momento, a cortina do santuário do templo se rasgou em duas partes. Então Jesus clamou em alta voz: "Pai, em tuas mãos entrego meu espírito!". E, com essas palavras, deu o último suspiro.

Quando o oficial romano que estava diante dele viu como ele havia morrido, exclamou: "Este homem era verdadeiramente o Filho de Deus!".

Algumas mulheres observavam de longe. Entre elas estava Maria Madalena. Eram seguidoras de Jesus e o haviam servido na Galileia.

As mulheres viram o túmulo onde o corpo de Jesus foi colocado. Depois, foram para casa e prepararam especiarias e perfumes para ungir o corpo.

No primeiro dia da semana, bem cedo, enquanto ainda estava escuro, Maria Madalena foi ao túmulo e viu que a pedra da entrada tinha sido removida.

Maria estava do lado de fora do túmulo. Chorando, abaixou-se, olhou para dentro e viu dois anjos vestidos de branco, sentados à cabeceira e aos pés do lugar onde tinha estado o corpo de Jesus.

Os anjos lhe perguntaram: "Mulher, por que você está chorando?".

Ela respondeu: "Porque levaram o meu Senhor, e não sei onde o colocaram".

Então, ao virar-se para sair, viu alguém em pé. Era Jesus, mas ela não o reconheceu.

"Mulher, por que está chorando?", perguntou ele. "A quem você procura?"

Pensando que fosse o jardineiro, ela disse: "Se o senhor o levou embora, diga-me onde o colocou, e eu irei buscá-lo".

"Maria!", disse Jesus.

Ela se voltou para ele e exclamou: "Mestre!".

Jesus lhe disse: "Não se agarre a mim, mas vá procurar meus irmãos e diga-lhes: 'Eu vou subir para meu Pai e Pai de vocês, para meu Deus e Deus de vocês'".

Maria Madalena encontrou os discípulos e lhes disse: "Vi o Senhor!".

Ao entardecer, os discípulos estavam reunidos com as portas trancadas, por medo dos líderes judeus.

De repente, Jesus surgiu no meio deles e disse: "Paz seja com vocês!".

18

Atos dos apóstolos

Durante os quarenta dias após seu sofrimento e morte, Jesus apareceu aos apóstolos e lhes falou do reino de Deus.

Os que estavam com Jesus lhe perguntaram: "Senhor, será esse o momento em que restaurará o reino a Israel?".

Ele respondeu:

> "O Pai já determinou o tempo e a ocasião para que isso aconteça, e não cabe a vocês saber. Vocês receberão poder quando o Espírito Santo descer sobre vocês, e serão minhas testemunhas em toda parte".

Depois de ter dito isso, foi elevado numa nuvem, e os discípulos não conseguiram mais vê-lo.

No dia de Pentecostes, todos estavam reunidos num só lugar. De repente, veio do céu um som como o de um poderoso vendaval, e todos ficaram cheios do Espírito Santo e começaram a falar em outras línguas.

Naquela época, judeus devotos de todas as nações viviam em Jerusalém. Quando ouviram o som das vozes, vieram correndo e ficaram espantados.

Então Pedro deu um passo à frente e dirigiu-se em alta voz à multidão:

> "Ouçam com atenção, todos vocês! O que vocês estão vendo foi predito há tempos pelo profeta Joel: 'Nos últimos dias', disse Deus, 'derramarei meu Espírito sobre todo tipo de pessoa, e seus filhos e suas filhas profetizarão'.
>
> "Povo de Israel, escute! Deus aprovou publicamente Jesus ao realizar milagres por meio dele. Com a ajuda de gentios que desconheciam a lei, vocês o pregaram na cruz e o mataram. Mas Deus o ressuscitou da morte, e todos nós somos testemunhas disso".

Os que acreditaram nas palavras de Pedro foram batizados, e todos se dedicavam de coração ao ensino dos apóstolos e à oração.

Estêvão, homem cheio de graça e poder, realizava milagres e sinais entre o povo. Um dia, porém, alguns homens da sinagoga convenceram falsas testemunhas a mentir a respeito dele, dizendo:

> "Este homem vive falando contra o santo templo. Nós o ouvimos dizer que esse Jesus de Nazaré destruirá o templo e mudará os costumes que Moisés nos deixou".

Então arrastaram-no para fora da cidade e começaram a apedrejá-lo. Seus acusadores tiraram os mantos e os deixaram aos pés de um jovem chamado Saulo.

Uma grande onda de perseguição começou naquele dia e varreu a igreja de Jerusalém. Saulo ia de casa em casa, arrastava para fora homens e mulheres e os lançava na prisão.

Saulo procurou o sumo sacerdote. Pediu cartas para as sinagogas em Damasco, solicitando que cooperassem com a prisão de todos os seguidores do Caminho que ali encontrasse.

Quando se aproximava de Damasco, de repente uma luz do céu brilhou ao seu redor. Ele caiu no chão e ouviu uma voz lhe dizer: "Saulo, Saulo, por que você me persegue?".

"Quem és tu, Senhor?", perguntou Saulo.

E a voz respondeu: "Sou Jesus, a quem você persegue! Agora levante-se e entre na cidade, onde lhe dirão o que fazer".

Saulo levantou-se do chão, mas, ao abrir os olhos, estava cego. Então o conduziram pela mão até Damasco, e logo ele começou a falar de Jesus nas sinagogas, dizendo: "Ele é o Filho de Deus!".

Saulo, também conhecido como Paulo, e seus companheiros saíram num navio e foram à Panfília. No sábado, foram à sinagoga. Depois da leitura dos livros da lei e dos profetas, Paulo começou a falar:

> "Homens de Israel e gentios tementes a Deus, ouçam-me! Jesus, um dos descendentes de Davi, é o salvador que Deus concedeu a Israel, conforme sua promessa! O povo de Jerusalém e seus líderes não reconheceram que Jesus era aquele a respeito de quem os profetas haviam falado. Em vez disso, eles o condenaram.
>
> "Mas Deus o ressuscitou dos mortos. E, por muitos dias, ele apareceu àqueles que o tinham acompanhado da Galileia para Jerusalém. Agora eles são suas testemunhas diante do povo.
>
> "Estamos aqui para proclamar que, por meio de Jesus, há perdão para os pecados. Todo o que nele crê é declarado justo diante de Deus".

No sábado seguinte, quase toda a cidade compareceu para ouvir a palavra do Senhor. Quando alguns dos judeus viram as multidões, difamaram Paulo e contestavam tudo que ele dizia.

Então Paulo disse: "Era necessário que pregássemos a palavra de Deus primeiro a vocês, judeus. Mas, uma vez que vocês a rejeitaram, agora vamos oferecê-la aos gentios".

Quando ouviram isso, os gentios se alegraram e agradeceram ao Senhor por essa mensagem.

Os que acompanharam Paulo o levaram até Atenas. Ele ficou muito indignado ao ver ídolos por toda a cidade. Por isso, Paulo se levantou diante do conselho e assim se dirigiu a seus membros:

> "Homens de Atenas, vejo que em todos os aspectos vocês são muito religiosos, pois, enquanto andava pela cidade, reparei em seus diversos altares. Um deles trazia a seguinte inscrição: 'Ao Deus Desconhecido'. Esse Deus que vocês adoram sem conhecer é exatamente aquele de que lhes falo.
>
> "Ele é o Deus que fez o mundo e tudo que nele há. Uma vez que é Senhor dos céus e da terra, não habita em templos feitos por homens e não é servido por mãos humanas, pois não necessita de coisa alguma. Ele mesmo dá vida e fôlego a tudo.
>
> "Seu propósito era que as nações buscassem a Deus e, tateando, talvez viessem a encontrá-lo, embora ele não esteja longe de nenhum de nós. Pois nele vivemos, nos movemos e existimos.
>
> "No passado, Deus não levou em conta a ignorância das pessoas acerca dessas coisas, mas agora ele ordena que todos, em todo lugar, se arrependam. Pois ele

> estabeleceu um dia para julgar o mundo com justiça, por meio do homem que ele designou, e mostrou a todos quem é esse homem ao ressuscitá-lo dos mortos".

Quando ouviram Paulo falar da ressurreição dos mortos, alguns riram com desprezo. Outros, porém, se juntaram a ele e creram.

Epílogo: Uma visão

Revelação de Jesus Cristo.

Vi um anjo descer do céu trazendo na mão a chave do abismo e uma grande corrente. Ele prendeu o dragão, a antiga serpente que é o diabo, Satanás, e o acorrentou por mil anos.

Vi os mortos em pé diante do trono de Deus. E foram abertos os livros, incluindo o Livro da Vida. Os mortos foram julgados segundo o que haviam feito.

Então vi um novo céu e uma nova terra, pois o primeiro céu e a primeira terra já não existiam, e o mar também não mais existia. E vi a cidade santa, a nova Jerusalém, que descia do céu, da parte de Deus, como uma noiva belamente vestida para seu marido.

Ouvi uma forte voz que vinha do trono e dizia:

> "Vejam, o tabernáculo de Deus está no meio de seu povo! Deus lhes enxugará dos olhos toda lágrima, e não haverá mais morte, nem tristeza, nem choro, nem dor. Todas essas coisas passaram para sempre".

Não vi templo algum na cidade, e a cidade não precisa de sol nem de lua, pois a glória de Deus a ilumina. As nações andarão em sua luz, e suas portas nunca se fecharão.

Então o anjo me mostrou o rio da água da vida, transparente

como cristal, que fluía do trono de Deus. De cada lado do rio estava a árvore da vida, que produz doze colheitas de frutos por ano, e cujas folhas servem como remédio para curar as nações.

> "Vejam, eu venho em breve.
> Eu sou o Alfa e o Ômega,
> o Primeiro e o Último,
> o Princípio e o Fim.
> Eu, Jesus, enviei meu anjo a fim de lhes dar
> esta mensagem para as igrejas."
>
> O Espírito e a noiva dizem: "Vem!".
> Amém! Vem, Senhor Jesus!
> Que a graça do Senhor Jesus esteja com todos.

Informações adicionais

O texto de *A Bíblia em 60 minutos* foi extraído da *Bíblia Sagrada, Nova Versão Transformadora* (São Paulo: 2016). A NVT é o resultado de um projeto iniciado em 2010 pela editora Mundo Cristão, juntamente com um comitê de tradutores especializados nas línguas originais em que o texto bíblico foi redigido. O objetivo foi produzir uma versão fiel e acessível, que comunicasse sua mensagem aos leitores de hoje de modo tão claro e relevante quanto os textos originais comunicaram aos leitores e ouvintes do mundo antigo.

Para mais informações, visite:
www.mundocristao.com.br/NVT

Linha do tempo e índice

Observação: Todas as datas são aproximadas (e, em alguns casos, altamente debatidas).

Compartilhe suas impressões de leitura,
mencionando o título da obra, pelo e-mail
opiniao-do-leitor@mundocristao.com.br
ou por nossas redes sociais

Esta obra foi composta com tipografia Palatino e Europa
e impressa em papel Pólen Soft 70 g/m² na gráfica Santa Marta